絶対決める!

実戦添削例から学ぶ 公務員試験 論文・作文

石井秀明［著］

新星出版社

はじめに

●たった7日で公務員小論文をマスター！

この本は公務員試験の小論文でお悩みの方が、1日90分、7日間の勉強で小論文が書けるようになるための本です。全体の構成は7章に分かれ、それぞれの章が1日90分で勉強できるようになっています

また、対象とする公務員試験は、原則として「地方初級」「地方上・中級」「国家一般〈高卒〉(旧 国家Ⅲ種)」「国家一般〈大卒〉(旧 国家Ⅱ種)」ですが、これ一冊でほとんどすべての公務員試験に対応ができます。また本書は、通読しても、自分に関係のあるところだけ抜き出して読んでも役に立つようになっています。学習時間に合わせて、ご自由にお読みください。

●何をどう書いたらよいかがわかる！

本書の第1日と第2日は、公務員試験小論文の概要と、典型的な小論文の答案作成法について書かれています。

この部分を通読することで、公務員試験で「何を」「どう」書いたらよいかがわかるようになります。特に第1日の公務員試験小論文の「四つの柱」はすべての公務員試験に共通する内容ですので、ぜひお読みください。この部分を読むだけで、ずいぶんと答案作成が楽になります。

●豊富な実例添削と模範解答例！

第3日から第6日までは、実際の答案の添削と模範解答例を通して、答案の書き方を学んでいただく部分になります。通読して書かれていた内容を自分の「ネタ」としてストッ

クしていただくのもよし、実際に答案作成に挑戦して解答例と見比べるのもよし、自分に合った勉強法で、小論文試験に対する理解を深めてください。

一つだけ覚えておいてほしいのは、本書の中の添削の「答案例」と「模範解答」には、わざと「スキ」が作ってあるということです。これは少し改善の余地を残すことで、実際の合格レベルを知ってもらい、自分だったらどう書くかを考えてもらいたかったからです。

この「スキ」の部分に関しては答案中に赤字で書き込みがしてあります。その上で「答案例」に関しては赤字部分を反映する形で「修正答案」が掲載されていますので、両方を比較することで、どのような点に注意すべきかを実感していただきたいと思います。

また第7日では「ネタの転用」を解説しています。類書にはない実践的なテクニックの解説です。

●充実したサポート体制！

第3日から第6日の「本日のポイント」の類題すべてと、巻末資料の過去問題出題テーマのうち、「Q」という記述がある問題に関しては、答案を提出してから四～七営業日以内に添削結果が受け取れる「クイック添削」が受けられます。

また、本書をお読みいただいた方専用に、さらにくわしい情報が得られるサポートサイトもご用意しております。ぜひ一度アクセスしてみてください。（クイック添削とサポートサイトのくわしい説明は191ページをごらんください。）

それでは、本書があなたの合格の一助となることを願っております。

論文オンライン代表
石井　秀明

目次

書き方別		全問題共通
基本 「作文基本」 過去と未来の自分で書く作文型小論文	基本 「論文基本」 「説明」と「提案」で書く論文型小論文	 「設問応答」 設問が特定の構成と内容を要求する問題
 「過去中心」 「過去の自分」中心で書く作文型小論文	 「説明中心」 「説明」中心で書く論文型小論文	 「図表つき」 図表の読み取りをもとに論述する問題
 「未来中心」 「未来の自分」中心で書く作文型小論文	 「提案中心」 「提案」中心で書く論文型小論文	 「抽象問題」 書くことを自分で限定する抽象的な問題

本文中の文例は以上のアイコンをつけてタイプ分けしてあります。

第2日 これなら書ける! 答案作成のポイント

第3日 「自己を語る」

第4日 「あるべき公務員像を語る」

第5日 「社会状況を説明する」

第6日 「政策を提言する」

第7日 ネタの転用と本番対策

stuff
本文デザイン―――山下洋子
イラスト――――こんどうゆみ
ＤＴＰ――――山崎潤子
編集協力・構成 ―有限会社ぽちハウス

第1日

公務員試験小論文とは

公務員試験小論文とは

公務員試験も就職試験の一種

公務員試験小論文を考えるとき、忘れてはならないことがあります。それは公務員試験とはいえ、就職試験の一種であるということ。そして就職試験である以上、あなたがやるべきことは「他の受験生ではなく、私を採用してくれ」と試験官に自分をアピールすることだ、ということです。

しかし、だからといって自分のことを、むやみにアピールするだけではいけません。

試験官は設問を通して、あなたが書くべきことを暗に要求してきています。ですからあなたは、試験官の要求にきちんと応える形で自分をアピールする必要があるのです。

つまり、公務員試験の小論文を突破するには、まず試験官があなたにどんな小論文を要求しているかを見抜く必要があるのです。

「作文型小論文」と「論文型小論文」

公務員試験小論文において試験官があなたに要求する答案には、大きく分けて、以下の二つのパターンがあります。

▼作文型小論文（おもに人柄を評価するための小論文）

例…（「私の高校時代」「思いやり」など）

▼論文型小論文（おもに能力を評価するための小論文）

例…（「高齢化社会について」「情報化社会」など）

　作文型小論文は、おもに受験生の人柄を見るために出題されます。文章自体は作文的でかまいませんが、その文章から感じられる人柄をもとに選考が行われますので、内容には十分な注意が必要です。

　一方、論文型小論文は、おもに受験生の論理的思考力や社会に関する知識、政策運営をしていく上での企画力などを見るために出題されます。文章自体に論理的な整合性（矛盾のなさ）が要求され、広範な知識も必要とされます。

　あなたはまず、設問を読んで、作文型なのか論文型なのかのどちらのパターンを書くことを要求されているのかを判断しなければなりません。

公務員試験小論文の四本の柱

　そして、さらに公務員試験小論文で書くべき内容は、以下の四つに分類されます。本書ではこれを、「公務員小論文における四本の柱」と名づけておきます。

一本目の柱：「自己を語る」
二本目の柱：「あるべき公務員像を語る」
三本目の柱：「社会状況を説明する」
四本目の柱：「政策を提言する」

　一本目の柱はすべての答案のもととなる、あなた自身を語る問題です。二本目は、あなたが目指そうとする理想の公務員像、三本目はあなたが社会についてどの程度知っているかを評価する説明問題、そして最後はあなたの企画力を評価するための問題です。

　実際の設問は、これらの四本の柱が組み合わされて出題されることが多くなります。あなたは設問をよく読み、どの柱を中心に答案を作成したらよいかを見抜かなければなりません。

　それでは次のページから、それぞれの柱の特徴をくわしく説明しましょう。

一本目の柱「自己を語る」

地方初級と国家一般〈高卒〉はこのパターンが主流！

一本目の柱である「自己を語る」小論文は、おもに地方初級や国家一般〈高卒〉の問題で出題されます。基本的な論文の型は「作文型小論文」で、代表的な出題例としては以下のようなものが挙げられます。

「私が誇りにしていること」（地方初級）
「学校生活を振り返って」（地方初級）
「これから挑戦したいこと」（地方初級）
「友人から学んだこと」（国家一般〈高卒〉）
「私とスポーツ」（国家一般〈高卒〉）

また、たしかにこのパターンの問題は地方初級や国家一般〈高卒〉でよく出題されますが、地方上級や国家一般〈大卒〉でを受ける人も、面接対策として一度は考えておくべき問題です。

語るべきことは二つだけ

小論文において「自己を語る」とは以下の二つを語ることです。

- **「過去の自分」（＝いままで何をしてきたか）**
- **「未来の自分」（＝これから何がしたいか）**

つまり、過去の自分の経験をふまえて将来の夢を語ることで、現在の自分のあり方を試験官にアピールするのです。

公務員試験小論文でいえば、自分が公務員を志すきっかけとなった経験を書き、公務員になったあと、自分がやりたいことを書くことで、「公務員になりたい」というあなたの熱意を試験官に伝えるのです。

これは一見そのようなことを要求していないように見える課題（「夏休み」「オリンピック」「海」など）でも同じです。それらのテーマを通じて、試験官は「公務員として」あなたが適しているかどうかを見極めようとしているのです。ですから、どのような課題が出題されても、この視点で答案を仕上げるようにしましょう。

バカ正直は正直ではなく、バカである

「自己を語る」小論文を書く上で注意しなければならないことは、まず、過去の経験と将来の夢を無理なく結びつけることです。自分の経験と公務員志望を結びつける話を考えておきましょう。

また、もし仮に公務員を志望する本音の理由が、「身分や将来が安定しているから」「休みがきちんと取れるから」などであったとしても、決してそのことを書いてはいけません。試験官は仕事に対してやる気のある人を求めているのです。

そしてまた「自己を語る」小論文は「自分の成長物語」である必要があります。答案では「いままでよい方向に成長してきて今後もよい方向に成長する自分」の物語を語ってください。もしそれが真実であったとしても、決して「いままでろくなことがなくて、これからもろくなことがないであろう自分」を語ってはいけません。

公務員試験も就職試験の一種なのだということを忘れないようにしてください。

バカ正直は正直なのではなく、バカなのです。

なお、「自己を語る」小論文のくわしい書き方は第2日28ページを、実際の例文は、第3日を参照してください。

二本目の柱「あるべき公務員像を語る」

理想の公務員像を明らかにしておこう！

二本目の柱である「あるべき公務員像」は、地方初級から地方上級までよく出題されます。論文の型としては「作文型」でも「論文型」でも書かされることがあり、代表的な出題例として以下のようなものが挙げられます。

「私の目指す公務員像」（地方初級）
「公務員に必要なこと」（地方初級）
「公務員に求められていること」（地方上級）
「公務員の責務について」（地方上級）
「地方自治体における行政改革を推進するための地方公務員の使命について述べよ」（地方上級）

「自己を語る」問題と同じく、この問題も公務員試験を受験する人であれば、受験する試験の種類は関係なく、必ず一回は考えておくべき問題です。

国民・市民に望まれる公務員とは？

人事院が平成十三年度に発表した人事白書は、公務員像に関する各種アンケートを集約した結果、国民は国家公務員が「使命感と責任感を持って社会的貢献度の高い仕事をすること」を期待しており、「国民全体の奉仕者」であることを望んでいる、と結論づけています。そしてこれは原則的には地方公務員でも同じです。

では具体的に「全体の奉仕者として使命感と責任感を持っている公務員」とはどのような資質、能力を持っている公務員なのでしょうか?

これが"スーパー公務員"だ!

理想の公務員＝スーパー公務員は、まず高い倫理観を持っています。また、現状に対して高い問題意識を持ち、さらに時代の変化に対応できる柔軟性も持っています。そして地方職のスーパー公務員の場合は、その地方に対する深い郷土愛も兼ね備えています。

また、スーパー公務員は高度な専門知識とそれを現場に生かす能力を持ち、その能力を使って具体的な政策を提案することができます。

また、政策を提案するだけではありません。立案した政策を現実化するためのリーダーシップや行動力もありますし、コンピュータなどの情報機器の扱いも得意です。

さらに今後の国際化に対応できる国際感覚も身についていますし、あらゆる領域で高い人権意識を発揮できます。そして、これらすべての能力を高いコミュニケーション能力が支えているのです。

採用側も公務員であることを忘れずに

たしかにこのようなスーパー公務員がいれば、国民や住民にとっては最高でしょう。しかし、忘れてはいけないのは、公務員試験における試験官もまた、公務員であるという事実です。完璧な理想にとらわれることで、「自分が天下りを全廃してやる」といった過激な主張に走ったり、現状を全否定するような記述はしないようにしましょう。

あくまで試験官に「理想に燃えた頼もしい人物である」と評価されるような記述を心がけることです。

なお、「あるべき公務員像を語る」小論文のくわしい書き方は第2日28、34ページを、実際の例文は、第4日を参照してください。

三本目の柱「社会状況を説明する」

社会に対する感度を試す問題

三本目の柱である「社会状況を説明する」小論文は地方初級から国家一般〈大卒〉までよく出題されます。論文の型としてはほとんど「論文型」で書かされ、代表的な出題例としては以下のようなもの挙げられます。

「情報化社会の功罪」（地方初級）

「新聞とテレビ」（地方初級）

「出生率低下の原因と国民生活に与える影響について述べなさい」（地方上級）

「高齢化や過疎化の進展が地域社会に及ぼす影響とその対応策について」（地方上級）

『人間関係の希薄化』を説明し、その歴史的・社会的背景を明らかにせよ」（地方上級）

これらの問題は、受験生が社会に対してどれくらい関心を持っているか、そしてどれくらい正確な知識を持っているかを確認するための問題です。知らないことについてはまったく書けないことになってしまいますので、この種類の問題に答えるためには、あらかじめ広範な知識を蓄えておく必要があります。

「論文型小論文」は「説明」＋「提案」

三本目の柱の「社会状況を説明する」と四本目の柱の「政策を提言する」は「論文型小論文」の両輪ともいえ

るものです。つまり、原則として「論文型小論文」を書こうとするときは、社会状況の「説明」と、政策の「提案」を両方書く必要があるのです。

ある与えられたテーマに対して「このような社会的状況がある。その状況に対して行政はどのような対策をとるべきか？」、これが公務員試験の「論文型小論文」で書くべきことなのです。

「説明」を要求する語句・表現

とはいえ、設問によっては「説明」と「提案」のどちらか一方を重点的に書くことを要求してくる場合があります。

それを見分ける手がかりとなるのが、設問の中に含まれる語句や表現です。例えば「説明」を要求してくる設問の場合は、次のような語句や表現が含まれています。これらの語句が出てきたら、説明に重点を置くことを要求されたと考えてください。

「説明」「背景」「現状」「原因」「理由」「要因」「課題」「影響」「問題点」「意義」「～とは何か」「なぜ～なのか」

「説明」は「事実報告」＋「意味」

また、「説明」は「事実報告」と「意味」の両方が備わってはじめて「説明」になります。「何が」「いつ」あったかだけでなく、それが「どのような意味を持つのか」まで説明できるようにしておきましょう。そのためにはその事実に関していままでどのようなことが議論され、どのような代表的な意見があるかもまとめておきましょう。

なお、「社会状況を説明する」小論文のくわしい書き方は第2日38ページを、実際の例文は、第5日を参照してください。

四本目の柱「政策を提言する」

これらの問題は、受験生の企画力、発想力、独創性を評価するための問題です。

このような問題の出題者は、今後の仕事の仲間として、いわれたことをするだけでなく、みずから進んで問題を発見し、それを解決する方法が考えられる人材を求めています。ですからあなたは、正確な知識や情報に基づいた、現実的な「提案」を行わなければなりません。

「提案」を要求する語句・表現

「説明」の時と同様、設問によっては「提案」のほうを重点的に書くことを要求してくる問題があります。

それを見分ける手がかりとなるのが、やはり設問の中に含まれる語句や表現です。「提案」の場合は、次のよ

「企画力」「発想力」を試す問題

四本目の柱である「政策を提言する」小論文は、おもに地方上・中級で出題されますが、じつは地方初級でもよく出題されます。論文出題例としては以下のようなものが挙げられます。

「魅力あるふるさとづくり」（地方初級）
「私だったら○○県のここをよくしたい」（地方初級）
「これからの地方行政の役割」（地方上級）
「高齢化社会への私の提言」（地方上級）
「私の考える国際交流促進策」（地方上級）

うな語句や表現が含まれていることが多いようです。これらの語句が出てきたら、提案に重点を置くことを要求されたと考えてください。

「今後の○○」「対策」「方策」「対応（策）」「提言」「改善点（策）」「どうあるべきか」「もし○○になったら」「○○づくり」「これからの○○」

現状に理解を示し、現実的に

ただし、三本目の柱のところで説明しましたが、「社会的状況を説明する」ことと「政策を提言する」ことは「論文型小論文」という車の両輪です。いくら企画力や独創性が要求されているといっても、まずきちんと社会的状況を正確に把握し、その上で現実的な提案をしなければなりません。

また、採点する人自身も公務員であるという事実を考えると、現在の取り組みを全否定する提案、例えば、「介護保険は破綻するのが目に見えているから全廃すべきだ」といった過激な提案は書くべきではない、ということがわかります。

また、自分の提案をあたかも万能な方法のように述べるのではなく、きちんと予想される問題点も書いておくと、より提案に現実味が増します。

理想論で終わるだけでなく、現実問題として客観的に社会状況を捉え、それに対して冷静に対応策を考えられることをアピールし、企画力だけでなく、あなたの実行力も試験官に印象づけましょう。

つねに現在の取り組みとのバランスを考え、現実的な提案を書くことがポイントです。

なお、「政策を提言する」小論文のくわしい書き方は第2日40ページを、実際の例文は、第6日を参照してください。

地方初級の傾向と対策

ここに注目!
第１日
第２日
第３日
第４日
第７日

テーマから見る地方初級

地方初級の問題として最近出題されたテーマとしては、以下のようなものが挙げられます。

「心温まるとき」
「私が誇りにしていること」
「私の夢」
「リーダーシップ」
「私の目指す公務員像」
「公務員に必要なこと」
「自然保護・環境保護の問題とあり方」
「私のふるさとＰＲ」
「こんな○○県を作りたい」
「魅力あるふるさとづくり」

作文型が主流だが、それ以外も要注意!

基本的には「自己を語る」作文型小論文が主流の地方初級の問題ですが、「理想の公務員像」や「こんな○○県を作りたい」といった論文型小論文を要求されることもあります。ですから対策としては「自己を語る」問題をメインにすえつつ、それ以外の課題に対する準備も忘れずにしておくことが重要になります。

ただし、基本的には人柄を評価する問題がほとんどですので、論文型小論文であっても、自分の経験をもとに判断を下す形で答案を作成したほうがよいでしょう。

地方中級の傾向と対策

ここに注目!
第1日
第2日
第3日
第5日
第6日
第7日

テーマから見る地方中級

地方中級の問題として最近出題されたテーマとしては、以下のようなものが挙げられます。

「大人について思うこと」
「私の将来の夢」
「友人について」
「公務員の将来像」
「現代の若者の特徴について」
「住みよい町とは」
「これからの自治体の役割について」
「最近の流行について思うこと」
「あなたの考える国際化」
「○○（市町村名）への提言」

各種テーマをまんべんなく

自治体によっては試験が行われないこともある地方中級ですので、基本的には地方上級の対応をしておけば、ほぼ問題はないでしょう。ただし、地方初級と地方上級の中間という設定のためか、テーマに地方初級的なものが出されることがあります。地方上級の勉強をメインでしつつ、地方初級的なテーマにも取り組んでおきましょう。そしてその際は、文体をいくぶん作文型に近づけて練習しておいてください。

地方上級の傾向と対策

ここに注目!

第1日

第2日

第5日

第6日

第7日

テーマから見る地方上級

地方上級の問題として最近出題されたテーマとしては、以下のようなものが挙げられます。

「私の心に残ったこと」

「国際化と私」

「いま地方公務員に求められているもの」

「地方公務員としての抱負」

「バイオテクノロジーと人類の未来について」

「住みよい地域づくりについて、行政と市民のパートナーシップの観点からあなたの考えを論ぜよ」

「都市生活と環境」

「出生率低下に伴う社会的影響とその対策について考えを述べよ」

論文型を完璧にマスターしよう

地方上級の問題は、そのほとんどが「説明」＋「提案」で答案を作成する「論文型小論文」になります。

ごくまれに「自己を語る」作文型小論文や「理想の公務員像」を問う問題も出題されますが、基本的には、すべて論文型小論文を書くつもりでいてください。

また仮に作文型小論文や「理想の公務員像」を述べる問題が出されたとしても、地方初級や国家一般〈高卒〉に比べると字数が多いですから、それらを社会的な事象と結びつけた上で答案を作成するようにしましょう。

国家一般〈高卒〉の傾向と対策

ここに注目!
第1日
第2日
第3日
第7日

テーマから見る国家一般〈高卒〉

国家一般〈高卒〉（旧 国家Ⅲ種）の問題として最近出題されたテーマとしては、以下のようなものが挙げられます。

「やさしさについて」
「思い出の旅」
「写真の魅力」
「私が行きたい外国」
「文化祭」
「音楽の効用」
「友人から学んだこと」
「私が心がけているマナー」
「ボランティア活動について」
「社会生活におけるルールの乱れについて」

経験をもとに「自己を語る」

国家一般〈高卒〉の問題は、ほとんどの設問が「自己を語る」ことを要求しています。「過去の自分」と「未来の自分」を設問の要求に従って述べましょう。

ただし、「文化祭」などのテーマが与えられたときに、過去の思い出話をとりとめなく書かないように注意すること。あくまでも就職試験・採用試験問題として自分の「成長物語」を書いてください。また、「ボランティア活動について」のような、一見「論文型小論文」のような課題であっても自分の経験を必ず入れましょう。

国家一般〈大卒〉の傾向と対策

ここに注目!

第1日

第2日

第5日

第6日

第7日

テーマから見る国家一般〈大卒〉

国家一般〈大卒〉（旧国家Ⅱ種）の問題は、以下のような形式で出題されます。

我が国は、2020年10月に、2050年までにカーボンニュートラルを目指すことを宣言した。また、2021年4月には、2030年度の新たな目標として、温室効果ガスを2013年度から46%削減することを目指し、さらに50%削減に向けて挑戦を続けるとの新たな方針を示した。なお、世界では、120以上の国と地域が2050年までのカーボンニュートラルの実現を表明している。（※カーボンニュートラルとは、温室効果ガスの排出を全体としてゼロにすること）

上記に関して、以下の資料①、②を参考にしながら、次の（1）、（2）の問いに答えなさい。

（1）カーボンニュートラルに関する取組が我が国にとって必要な理由を簡潔に述べなさい。

（2）カーボンニュートラルを達成するために我が国が行うべき取組について、その課題を踏まえつつ、あなたの考えを具体的に述べなさい。

※資料は省略

設問にきちんと答えることを優先する

ポイントは、与えられた資料を踏まえて（1）（2）と分かれたそれぞれの設問に過不足なく答えることです。今までのところ、（1）で「説明」を、（2）で「提案」を求められることが多いようです。

第日

これなら書ける！
答案作成のポイント

答案作成をはじめる前に

日頃の訓練で、自分が制限字数を埋めるのにかかる時間を計測しておき、その時間を制限時間から差し引きます。この残り時間を、①設問の分析、②プロットの作成、④推敲、の三つに配分していくのです。

この中でなるべく多く時間を取るべきなのは、②プロットの作成です。なぜならプロットをきちっと作っておけば、実際に論文を書き出してから、途中で詰まったり、推敲の際に大幅に修正が必要になったりしないで済むからです。ですから、制限時間をなるべく②に回せるような時間配分を日々の練習でつかんでおきましょう。

時間配分の方法

答案作成をはじめる前に必ず時間配分をしましょう。まず、実際の小論文の答案作成で、あなたがしなければならないことは、以下の四つです。

① 設問の分析
② プロット（＝あらすじ・構成）の作成
③ 執筆
④ 推敲

そして時間配分を考えるとき、まず知っておかなければならないことは、自分が原稿用紙を制限字数分埋めるのにどれくらい時間が必要かということです。

「プロットが命」と心得よ！

「プロット」（＝あらすじ・構成）は答案作成の要（か

なめ）です。プロットさえ書ければ小論文の答案の70％は完成したといえるでしょう。

プロットを作る時は、まず設問をきちんと分析します。11ページで述べた四本の柱のうち、どのパターンを中心にするか検討し、「作文型小論文」で書くべきなのか、それとも「論文型小論文」なのか、「基本型」で行くのか、「過去」「未来」「説明」「提案」のいずれかに重点を置いて書くべきなのか、じっくり見極めます。

その上で、設問が特別のプロットを要求していればそれに応えるようにプロットを作成し、特に要求がなければそれぞれの型通りにプロットを作成してください。

段落数とおおよその字数割り当て、それに各段落で何を書くかのメモを作成すればプロットは完成です。あとはそのプロットを見ながら答案を作成してください。

推敲を忘れずに

答案が完成したら、必ず推敲をしてください。

そして推敲をするときは、あたかも他人の文章を読むような気持ちで、自分の文章をつき放して読むようにしましょう。もう一人の自分が冷静に答案をチェックするようにするのです。そうすることで、自分の答案の問題点が見えてきます。

ただし推敲は「必要最小限」にしておきましょう。だれでも、修正だらけの汚い原稿は読みたくありません。誤字、脱字等、明らかな間違いは消しゴムでていねいに消して訂正し、あまり長い文章の修正は行わないでください。ましてや、推敲段階にいたって、プロットを変えるなどの大きな変更はぜったい禁止です。

本番の追いつめられた状況下では、新しく思いついたプロットのほうがよく思えてしまうものです。しかし、あとで冷静に見直すと最初のプロットと大した差がないことが多いものです。ですから書き直したくなってもグッとこらえて、細かいミスだけをつぶすつもりで推敲を行ってください。

「作文型小論文」の書き方

「過去」と「未来」の自分を書く！

12ページ「一本目の柱　自己を語る」のところで述べたように、地方初級、国家一般〈高卒〉の問題のほとんどが、「作文型小論文」で、「自己を語る」ことになります。そして「自己を語る」とは「過去の自分（＝いままで何をやってきたか）」と「未来の自分（＝これから何をしたいか）」を書くことです。

公務員試験を受けるあなたの場合は、結局は下の囲みの中の二つの質問に対する答えを書くことになります。

もちろん、つねにこの答えだけを書けばよいわけではありません。設問によっては書くべき内容を指定してくる問題もありますので、その場合は指定された内容に対してきちんと答えましょう。ただし、その場合でも本質的に問われているのは、右の二つの質問であるということをつねに忘れないようにしてください。

次のページに作文型小論文の「基本型」の書き方を図解しておきます。そしてこの方法に沿って書かれた例文を第3日62ページに挙げますので参照してください。

《質問1》
あなたが公務員になりたいと思ったきっかけはなんですか？
《質問2》
あなたは公務員になったあと、どんな仕事がしたいですか？

図解！「作文基本型」小論文の書き方
基本型は「過去」と「未来」を半分ずつ！

基本

第一部
「過去の自分」あるいは「未来の自分」を端的に答える

全体の1/6程度

○設問が特定の答えを要求していたら、それについて簡潔に答える
○設問に応じて、「過去の自分」「未来の自分」のどちらかを端的に述べる

第二部
「過去の自分」のくわしい説明
●どのような経験だったか（報告）
●その経験は自分にとってどんな意味を持つか（分析）

全体の1/3程度

○どのような経験だったか具体的に述べる
○その経験を通して、何を学んだかを述べる

第三部
「未来の自分」のくわしい説明
●公務員になってやりたいこと
●やりたいことを実現させるための計画

全体の1/3程度

○公務員として実現させたい夢を述べる
○その夢を実現させるための計画を述べる

現実的に！

第四部
まとめ
●熱意を伝えるための決意表明

全体の1/6程度

○あまり"グサク"ならないよう、ただし、きちんと熱意が伝わるよう、決意表明する

「過去の自分中心型」小論文の書き方

「失敗から学んだこと」「学校生活を振り返って」〈地方初級〉「思い出のプレゼント」「努力したこと」〈国家一般〈高卒〉〉などの課題は、おもにあなたの「過去」を重点的に聞いてくる課題です。

このような課題が与えられた場合は、「過去の自分」のほうを重点的に書くようにしましょう。一般的には制限字数の三分の二くらいを「過去の自分」の説明に使うのです。

「過去中心型」は内面の経験を具体的に

「過去の自分」で書くべきことは、以下の囲みの中の条件を満たす自分の経験です。

13ページでも述べたように、就職試験において「自己を語る」とは、自分の「成長物語」を語ることです。ですから、過去に自分を内面的に成長させてくれた経験（失敗も含む）を具体的に書き、そこから何を学んだかを書きましょう。そうすることで、自分の成長を採点者に印象づけることができます。

(1) いままでしてきたことの中で
(2) 未来の自分へと通じる
(3) なるべく新しい
(4) 自分の内面を変えた出来事

また当然のことながら、その成長物語は、公務員としての適性を高めることにつながった話でなければなりません。公務員の仲間としてあなたを迎えたくなるような成長物語を語りましょう。

次のページに「過去の自分中心型」の書き方を図解しておきます。この方法に沿って書かれた例文は第3日72ページに挙げますので参照してください。

図解！「過去の自分中心型」小論文の書き方

具体的な過去の経験をポジティブに分析！

過去

第一部
「過去の自分」の経験を端的に答える

第二部
その経験のくわしい説明（＝どんな経験だったか）

第三部
経験の分析（＝その経験がどのように自分を変え、いまの自分にどのように影響を与えているか）

第四部
まとめ（＝「未来の自分」と絡めて決意表明）

全体の1/6程度（第一部）
- ○テーマに関連した「過去の自分」の経験を端的に答える
- ○設問が特的の答えを要求していたら、それについて簡潔に答える

全体の1/3程度（第二部）
- ○どのような経験であったか、具体的に述べる
- ○マイナス要因を入れておくとよい

具体的に！

全体の1/3程度（第三部）
- ○その経験は自分にとって何であったか
- ○その経験から何を学び、自分はどう変わったか
- ○どうプラスに転換したか

ポジティブな自分をアピール！

全体の1/6程度（第四部）
- ○公務員としての「未来の自分」像を簡潔に述べる
- ○熱意を伝えるために決意表明

「未来の自分中心型」小論文の書き方

「私の将来」「二十一世紀に描く私の夢」〈地方初級〉「これから挑戦したいこと」「私が行きたい外国」〈国家一般〈高卒〉〉などの課題は、おもにあなたの「未来」を重点的に聞いてくる課題です。

このような課題が与えられた場合は、今度は「未来の自分」のほうを重点的に書くようにします。つまり三分の二くらいの分量を「未来の自分」の説明のために使うのです。

「夢」「目標」「課題」を具体的に

「未来の自分」であなたが書くべき内容は、以下の囲みの中の条件を満たす計画です。

「夢」というのは一生かかっても実現できるかどうかわからないほど遠くにある「目標」です。そして「目標」とは「夢」にたどり着くためにあなたが達成しなくてはならない大きな「課題」です。そして「課題」とは、「目標」に到達するためにあなたがいますぐ始めなければならないことです。これらを段階的に述べることで具体的な「未来の自分」を描くことができます。

(1) 「過去の自分」をふまえた
(2) 公務員としての自分の将来の「夢」に通ずる
(3) 段階的な「目標」と
(4) すぐに自分が行うべき「課題」

公務員としての自分の夢を語り、自分がどのようにその夢を実現させるつもりかを、具体的、かつ現実的に述べましょう。

次のページに「未来の自分中心型」の書き方を図解しておきます。そしてこの方法に沿って書かれた例文を第3日57ページに挙げますので参照してください。

図解！「未来の自分中心型」小論文の書き方　未来
将来の具体的な計画をていねいに！

第一部
「夢」の宣言
（＝「未来の自分」を端的に答える）

全体の１／６程度

○公務員としての将来の「夢」を簡潔に述べる
○設問が特定の答えを要求していたら、それについて簡潔に答える

第二部
その「夢」を抱いたいきさつを述べる
（＝「過去の自分」）

全体の１／３程度

○なぜその「夢」を抱いたのか、そのいきさつを述べる
○「夢」との連続性を持たせること

第三部
「目標」と
それを達成するための具体的方法
（＝「未来の自分」）

全体の１／３程度

○「夢」を実現させるために、最初にクリアしなければならない「目標」を述べる
○あくまでも「希望」という形で、現実的な計画を述べる

第四部　まとめ
（＝「課題」の決定と、それを達成する決意表明）

全体の１／６程度

○目標をクリアするために、すぐに始めなければならない「課題」を述べる
○志望先の新人として、まずやるべきことを述べる
○熱意を伝えるため決意表明をする

「論文型小論文」の書き方

論理的な文章の書き方

「論文型小論文」では、当然のことながら「論理的な文章」を書くことを要求されます。

それでは「論理的な文章」とはどのような文章のことなのでしょうか。さまざまな定義がすでにされていますが、本書では以下のように定義しておきたいと思います。

文章中に使用されている語彙相互や、語句や文章が指し示している社会的事実との間に矛盾がなく、整合性が保たれている文章

つまり、適切に語句が使われ、文法的にも間違いがないこと、また、使われている語句や文章で述べていることが現実の社会的事実と食い違わないこと、が「論理的な文章」の条件ということです。

「引用」「判断」「根拠」

では、そのような「論理的な文章」はどのようにしたら書けるようになるでしょうか。

そのためには「引用」「判断」「根拠」のはっきりした文章を書くことです。

「引用」とは自分の意見のもととなる社会的事実や他人の意見を正確に述べることです。資料が与えられていれば、それをそのまま引用します。また、テーマだけが与えられていれば、そのテーマに関してだれもが知っている事実や意見（＝社会的文脈）を引用します。

そうして「引用」をしたら、今度はそれに対して自分がどう思うか「判断」を下します。単純な「賛成」「反対」から新しい論点の提示まで、さまざまな形で「判断」を下します。

そして「判断」を下したら、その判断の正当性を保証する「根拠」を忘れずに挙げます。自分の判断がなぜ正しいのか、他人の意見の何が問題なのか、その二点にしぼって「根拠」を挙げるようにします。

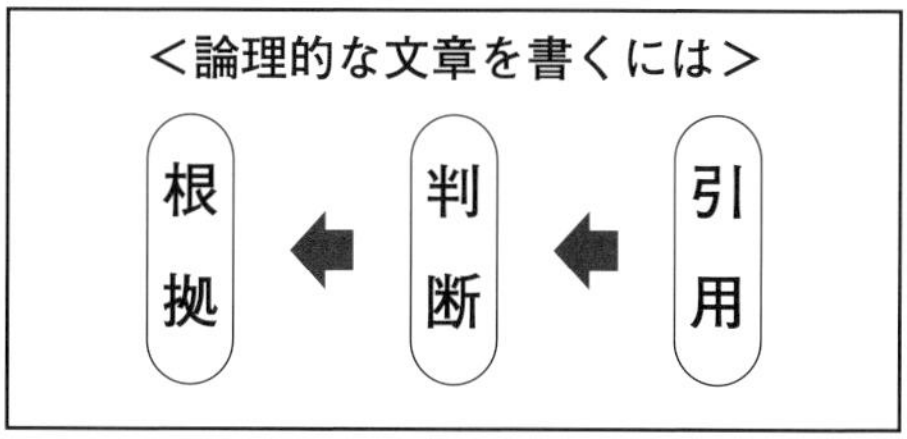

このような手順で文を書いていくことで、自然と「論理的な文章」になっていくのです（本書の「論文型小論文」模範解答は、原則的に「引用」「判断」「根拠」を意識して書かれています。参照してください）。

＜論理的な文章を書くには＞

引用 ⇐ 判断 ⇐ 根拠

公務員試験は「説明」＋「提案」で

右のように「引用」「判断」「根拠」で論理的な文章を書けるようになったら、次は「何を」書くかです。

公務員試験の場合は、16ページで述べたように、与えられたテーマに関する現状の「説明」と、その現状をどうするかという「提案」を書くのが一般的です。つまり、あるテーマが与えられたとき、あなたが考えるべきことは、そのテーマについて現在どんなことが知られていて、どのような意見が主張がされているか、それに行政側はどう対応するべきかということなのです。

あとは17ページと19ページにあるような「説明」や「提案」を特に要求する語句（これらを「説明要求語句」「提案要求語句」と呼んでおきましょう）の数などを比較し、どちらを重点的に書くべきかを判断し、それに合わせて分量とくわしさを調整して答案を作成します。

本書では今後「説明」と「提案」双方をバランスよく

述べるパターンを「論文基本型」、「説明」に重点を置くパターンを「説明中心型」、「提案」に重点を置くパターンを「提案中心型」と呼ぶことにします。

「論文基本型」の書き方

「説明」要求語句と「提案」要求語句を同じ数だけ含んでいる設問や、左のような表現で、シンプルにあなたの考えを聞いてくる設問は、論文型小論文の「基本型」で答案を作成しましょう。

「○○について考えを述べよ」
「○○について論ぜよ」
「○○についてどう考える（思う）か」
「○○について」
「○○」（↑名詞のみ）
「○○と△△」

基本は「説明」と「提案」を半分ずつ

「論文基本型」では、「説明」と「提案」を同じくらいの分量で語ります。

与えられたテーマに関して現状がどのような状況にあるのかを「説明」し、その状況を行政側が今後どうしていくべきかを「提案」するのです。

例えば、「都市生活と環境」「地方分権と住民」といった「○○と△△」型の設問は、基本的には「○○」について現状を説明し、「△△」について提案するという形で書くのです。例えば「地方分権」の現状を説明し、その上で今後の「住民」のあり方を提案するといった形です。

次のページに論文型小論文の基本型の書き方を図解しておきます。そしてこの方法に沿って書かれた例文を第6日137ページに挙げますので参照してください。

図解！「論文基本型」小論文の書き方
「説明」と「提案」をバランスよく！

第一部
〈社会的文脈の引用〉
●テーマに関する概況

全体の1/6程度

○テーマに関する社会的状況を簡潔に述べる

第二部
〈社会的文脈のくわしい説明〉
●具体的な事実や事件の報告
〈社会的文脈のくわしい説明〉
●事実や事件に対する解釈

全体の1/3程度

○テーマに関する「事実や事件」、また、それらに対して他の人がどう発言してきたかを正確に述べる
○テーマに関する「事実や事件」「他の人の意見」に対して、自分がどう思うかを書く

第三部
〈提案〉
●5W2H（40ページ参照）を参考に、具体的な提案を述べる

全体の1/3程度

○夢物語でない現実的な「提案」を書くようにする
○なぜ行政なのか？
なぜその行政体なのか？を意識して書く

第四部
〈まとめ〉
●結論の再確認と、必要ならば決意表明

全体の1/6程度

○結論をもう一度簡潔にまとめ、もし必要ならば自分が公務員としてどのように仕事に取り組むか決意表明する

「説明中心型」小論文の書き方

左のような「説明」要求語句が含まれている設問や、「説明」要求語句が「提案」要求語句より多く含まれている設問は「説明中心型」で答案を作成しましょう。

「説明」「背景」「現状」「原因」「理由」「要因」「課題」「影響」「問題点」「意義」「～とは何か」「なぜ～なのか」

具体的には、答案の約三分の二程度を「説明」に費やすようにするのです。

「説明」とは？

17ページで述べたように「説明」とは「事実報告」とその事実に「意味づけ」を行うことです。言い換えれば、「自分の外側にある情報を整理し、それをどう自分が解釈したかを述べること」ともいえるでしょう。

「自分の外側にある情報」とは「事件などの具体的事実」とそれに関する「代表的な他者の意見」のことです。まず、これら社会的文脈を正確に引用し、テーマに関して何が問題となっているのかを書きます。

そしてそれらをもとに「自分の解釈」を下すわけですが、「自分の解釈」の代表的なものとしては、事実・事件に関する「原因分析」や「今後の予想」、「新たな問題点の指摘」や「他者の意見に対する批評」などが挙げられます。

これらをだれもが納得する具体的な根拠とともに書くことで、そのテーマをきちんと「説明」することができるのです。

次のページに「説明中心型」の論文型小論文の書き方を図解します。この方法に沿って書かれた例文は第5日122ページに挙げてあります。参照してください。

図解！「説明中心型」小論文の書き方
「事実報告」と「意味づけ」を根拠を挙げて！

「説明」要求語句	「説明」「背景」「現状」「原因」「理由」「要因」「課題」「影響」「問題点」「意義」「～とは何か」「なぜ～なのか」

第一部
〈事実報告〉
＝
●テーマに関する「社会的文脈」を引用する

第二部
〈意味づけ〉
＝
●第一部の情報を自分がどう解釈したかを述べる
※根拠を忘れずに！

第三部
〈提案〉
＝
●５W２H（40ページ参照）を参考に、具体的な提案を述べる

全体の１／３程度

○テーマに関する「事実や事件」を正確に報告する
○そのテーマに関して、他の人がいままでどのような発言をしてきたかを書く
※あくまで他の人の発言だとわかる形で

全体の１／３程度

○「事実や事件」「他の人の意見」を自分がどのように解釈したかを書く
○「引用」「判断」「根拠」を意識して論理的に書く

全体の１／３程度

○夢物語ではない現実的な「提案」を書くようにする
○なぜ行政なのか？なぜその行政体なのか？を意識して書く

※「事実報告」と「意味づけ」は、きれいに二分することができない場合もあります。

「提案中心型」小論文の書き方

左のような「提案」要求語句が含まれている設問や、「提案」要求語句が「説明」要求語句より多く含まれている設問は「提案中心型」で答案を作成しましょう。

「今後の」「対策」「方策」「対応（策）」「提言」「改善点（策）」「どうあるべきか」「もし○○になったら」「○○づくり」「これからの○○」

具体的には、答案の約三分の二程度を「提案」に費やすようにするのです。

「提案」は5W2Hで

具体的な「提案」を考えるときは、次の5W2Hを考えましょう。

何をめざして（What）
いつまでに（When）
どこの（Where）
だれが（Who）
なにを使って（What）
どう（How）
いくらで（How much）やるか？

目的と手段を分けて考えるためにWhatが二つあること、「コスト」をつねに意識するためにHow muchが一つつけ加わっているところが、通常の5W1Hとは異なるポイントです。これら5W2Hを手がかりに、基本的に行政でなければできないこと、またその行政体でなければできないことを「提案」するようにしましょう。

次のページに「提案中心型」の論文型小論文の書き方を図解します。この方法に沿って書かれた例文は第6日150ページに挙げてあります。参照してください。

図解！「提案中心型」小論文の書き方
5W2Hで具体的な提案を！

「提案」要求語句	「今後の」「対策」「方策」「対応（策）」「提言」「改善点（策）」「どうあるべきか」「もし○○になったら」「○○づくり」「これからの○○」

第一部
〈説明〉
●テーマに関する「社会的文脈」の引用
＋
●「社会的文脈」を自分がどう解釈しているか

第二部
〈提案〉
●5W2H（下段参照）を参考に、具体的な提案を述べる
●予想される問題点と解決策も書く
●行政でなければできないこと、その行政体がやったほうがよいことを提案する

全体の1/3程度

○テーマに関する「社会的文脈」を正確に引用し、それに対して自分がどう思っているかを、「根拠」を挙げながら述べる
○後ろの「提案」に合わせて、取捨選択して「説明」する

全体の2/3程度

○5W2Hを手がかりに考える
WHAT（何のために）
WHEN（いつまでに）
WHERE（どこの）
WHO（だれが）
WHAT（何を使って）
HOW（どう）
HOW MUCH（いくらで）やるか？
○予想される問題点を書くことで、現実性アップ
○なぜ行政なのか？
なぜその行政体なのか？も書こう

「設問応答型」への対処法

設問の要求に答えよ

いままでは、基本的な型にのっとって答案を作成していく方法を述べてきました。しかし、実際の問題では、型どおりに答案を作成しては"いけない"問題もあります。

例えば、以下の囲みの中のような問題です。

これらの問題は、設問が答案にある一定のプロット（＝あらすじ・構成）を要求しています。

本書では、このような問題を「設問応答型」と呼んでおきます。

そしてこのような設問応答型の問題が出題された場合は、要求されたプロット通りに答案を作成しないと、「出題意図を無視した」と判断されて、高い評価を得ることができないのです。

> （1）「近年、自治体でゴミの収集・処理を有料化する動きがあるが、この背景について検討し、その効果、問題点について論じなさい（90分　1200字）」
>
> （2）「高齢化や過疎化の進展が地域社会に及ぼす影響とその対策についてあなたの考えを述べなさい（90分　1200字）」
>
> （3）「市町村合併の現状とそのメリット、デメリットは何か。また市町村合併を円滑に推進していくための方策を述べよ（90分　1600字）」

プロットが書ければできたも同然

例えば、前出の（3）のような設問の場合、要求されるプロットは以下の囲みの中のようになります。

ここで「第○段落」ではなく「第○部」としたのは、それぞれが複数の段落で構成されることがあるからです。あくまでも書かれるべき内容を表しているのでこのような表現になっています。

また、プロットを作成するときは、それぞれの「部」の字数配分も考えておきましょう。大体どのくらいの分量で書くかをあらかじめ決めておくことで、あせらずに答案作成ができます。

あとはプロットに従って答案を作成していけば、試験官の要求する構成の答案が自動的に作成できます。

ですから、「設問応答型」が出題されたときは、細心の注意を払って、まずはかっちりとしたプロットを作成するようにしてください。

《（3）の設問に応えたプロット》

第1部（市町村合併の現状）
↓市町村合併をめぐる現状を大まかに述べる（200字程度）
第2部（市町村合併のメリット）
↓市町村合併のメリットを述べる（300字程度）
第3部（市町村合併のデメリット）
↓市町村合併のデメリットを述べる（300字程度）
第4部（市町村合併を円滑に推進していくための方策）
↓市町村合併を円滑に推進していくための方策を述べる（800字程度）

「図表つき問題」への対処法

図表も主張をしている

以前の国家Ⅱ種（現 国家一般〈大卒〉）や地方上・中級の一部の問題には、図やグラフなどの資料を読み取り、その読み取り結果に関して答案を作成する設問があります。最近はこの形式は出題されることが少なくなっていますが、時折出題されることもありますので、説明しておきます。

まず覚えておいてほしいのは、図表も文章と同じように「主張」をしているということです。図表つき小論文ではこの図表の主張を読み取り、それを引用して説明することによって答案を成立させます。本書の例文や巻末資料などを参考にしてみてください。

極端な部分に注目して主張を読み取れ

では図表の主張は、図表のどのようなところに現れるのでしょうか。

それは図表の「極端な部分」です。例えば極端に大きな数値、極端に小さな数値、極端な増加、極端な減少、極端な変化、極端な"無"変化、極端なばらつき、極端な集中、など、図表の「極端な部分」に注目することによって、図表の主張を読み取ることができるのです。

あとは読み取った主張を、後ろの展開に合わせて、必要な分量だけ引用して「説明」してください。そうすることで、通常の論文型小論文と同じように対処することができます。

「抽象的な問題」への対処法

作文型は「私にとっての」をつける

地方初級や国家一般〈高卒〉の作文型小論文には「山」「海」などといった一見何を書いたらいいのかわからない抽象的な課題が出題されることがあります。

この場合は、課題の前に「私にとっての」を入れて考えてください。つまり、「私にとっての『山』」「私にとっての『海』」と考えるのです。

そうすれば「私にとっては高二の時の入院生活が越えねばならない『山』だった」とか「私にとっては祖母が『海』だった」とか、いろいろと「過去の自分」で書くべき経験が出てくるでしょう。あとは、これらの「過去の自分」を元に、「未来の自分」と結びつけて論文にしていくのです。こうすれば、「何を書いたらいいのかわからない」ということもなくなります。

論文型は「について思い出されるのは」

「混沌と未来」や「生きる力について」など、地方上・中級で出題される論文型小論文の抽象的な課題には、タイトルに「について思い出されるのは」をつけて考えてください。

例えば「『混沌と未来』というテーマで思い出されるのは、東日本大震災による社会的混乱と、そこからの復興である」というような形で、書くべきことを限定し、あとはそのことを中心に普通に答案を作成していけば難しくありません。

図解！　答案作成手順のまとめ

作文型小論文か？　論文型小論文か？

作文

※おもに国家一般〈高卒〉地方初級

①シンプルな設問
②おもに過去を訊く設問
③おもに未来を訊く設問

① 「作文基本型」　29ページ参照　基本
② 「過去の自分中心型」　31ページ参照　過去
③ 「未来の自分中心型」　33ページ参照　未来

論文

※おもに国家一般〈大卒〉地方初級

①シンプルな設問
②「説明要求語」が多い設問
③「提案要求語」が多い設問

① 「論文基本型」　37ページ参照　基本
② 「説明中心型」　39ページ参照　説明
③ 「提案中心型」　41ページ参照　提案

全問題共通

1. 図表がついている……………………図表つき問題　図表
2. 抽象的な課題である…………………抽象問題　抽象
3. 設問が特定のプロットを要求………設問応答問題　設問

第3日

一本目の柱
「自己を語る」

本日のポイント

第3日 「自己を語る」

【国家一般〈高卒〉を受験する人】

地方初級と同じく、ほとんどが「自己を語る」課題が出題されていますので、注意深く読み、必ず類題まで挑戦しておきましょう。

【国家一般〈大卒〉を受験する人】

地方上級と同じく、面接の対策として読んでおきましょう。

「何を」「どう書くか」のまとめ

●「自己を語る」答案で、書くべきことはたった二つ。「過去の自分」(＝いままで何をしてきたか) と「未来の自分」(＝これから何がしたいか) だけ!

●いままでよい方向に成長してきて、今後もよい方向

今日は「自己を語る」小論文の答案例を勉強します。このページは次のような心構えで読んでください。

【地方初級を受験する人】

「自己を語る」課題は非常によく出題されますので、「自分だったらどう書くかな?」とつねに考えながら答案例を読み、類題にぜひ挑戦して練習してください。

【地方上・中級を受験する人】

上級の場合はあまり出題されない課題かもしれませんが、面接対策として自分の場合を想定しながら読んでおきましょう。中級の場合は出題される可能性がありますので、類題に挑戦することをおすすめします。

に成長しつづける自分の「成長物語」を語ること
●一般的な課題は「過去の自分」と「未来の自分」をバランスよく語る「作文基本型」で！
●過去の経験を重点的に聞いてくる課題は「過去の自分中心型」で！
●未来の計画を重点的に聞いてくる課題は「未来の自分中心型」で！
●どんなテーマも設問の要求に沿って回答することが一番大事。まず設問にきちんと応えることを意識しよう！
●バカ正直は正直なのではなく、バカである。試験官がぜひ採用したくなる自分をアピールすること！

くわしい書き方はここを参照！

「作文基本型」…………28ページ
「過去の自分中心型」……30ページ
「未来の自分中心型」……32ページ

過去問の類題に挑戦しよう！

No.14「リーダーシップ」（地方初級・60分・800字　※時間と字数は参考）
No.59「最近心に残った出来事」（地方初級・45分・600字　※時間と字数は参考）
No.60「手紙」（地方初級・60分・800字　※時間と字数は参考）
No.76「忍耐」（地方初級・60分・800字※時間と字数は参考）
No.92「私の職業観」（地方上級・90分・800字　※時間と字数は参考）
No.167「思いやり」（国家一般〈高卒〉・45分・600字）
No.169「努力したこと」（国家一般〈高卒〉・45分・600字）

※類題に挑戦するときは制限時間と字数を守りましょう。また、書けたら信頼できる人に見てもらいましょう（類題については巻末の表も参考にしてください）。

答案例

最近心に残った出来事

典型的な「過去の自分中心型」の答案作成方法を学びましょう

地方初級レベル
時間・字数不明

私は高校三年の夏、友達に誘われて老人ホーム（デイサービス）へボランティアに行った。そのことが、最近心に残った出来事である。

その頃、私は将来人に関わる仕事に就きたいと、ただ漠然と考えていた。しかし、いまひとつ具体化されていなかったため、自分の卒業してからの目標が定まらず、進路相談のたびに悩んでいた。両親からも進路について聞かれると、つい口論となってしまい、進路のことから目を背けることも少なくなかった。

少し間のびしています。最後の段落のために削除しましょう。

今回は、そのような中でのボランティア活動であった。過去に部

NOTE

●「過去の自分中心」型の答案を作成する時、一番気をつけなければならないことは何か考えましょう。

●この答案をさらによくするために書き加えることがあるとすれば何か考えましょう。

もう少し具体的な“事件”を書くとさらによくなります。

活動の一環として何回か行ったことがあったが、今回は違う。個人的に行ったため、お年寄りの方々と直接ふれあう機会がたくさんあった。お年寄りの方の話し相手になると、たいてい戦時中の生活から現在の平和な生活になり幸せだという話になる。そのなかで、お年寄りが満面の笑顔で「いまはこんなによい時代で便利な生活を送らせてもらって」といっていたのが、とても印象に残った。

この経験を通じて、私は自分が本当にやりたいことを具体化できた。それは、このような満面の笑顔が絶えない地域作りに貢献していきたいということだ。現在、私は地域ボランティアに積極的に参加している。その経験をもとに私は、人や地域のために役立つ公務員になりたい。そして、人々がより快適な暮らしができるお手伝いを積極的にしていきたい。

何をやりたいかを具体的に書きましょう。

Key Word

●デイサービス
福祉サービスの一つ。在宅高齢者や障害者が通所し、日帰りでリハビリや食事・娯楽のサービスなどを受けられる。

添削

最近心に残った出来事

ここがポイント！

地方初級、「過去の自分中心型」の課題です。特別なプロットを要求する課題ではありませんので、31ページの「過去の自分中心型」小論文の書き方に沿って書けばよいでしょう。

このような課題は過去の出来事を中心に、自分がいままでどのようなことを学んできたかを具体的に述べなければなりません。具体性がその他の受験生の答案との違いを際立たせ、結果的にあなたの答案のオリジナリティを保証してくれるのです。

こうすればもっとよくなる！

今回の答案は素材としてはとてもよいものがあります。すこし優等生的すぎるかもしれませんが、老人ホームでのボランティアという経験は、今回のような課題の場合、採点官に強くアピールできる素材といえるでしょう。

だからこそ、もう少し具体性が備わるとさらによくなります。第二段落あたりの進路決定のエピソードを削除し、ボランティア活動での経験をさらに具体的に述べましょう。

また、最終段落の「満面の笑顔が絶えない地域づくり」のために自分が何をするかを述べるとさらに具体的になってよいでしょう。公務員となって地域づくりのためにいを挑戦したいことを、一つでもいいですから具体的に述べてください。

修正答案

最近心に残った出来事

私は高校三年の夏、友達に誘われて老人ホーム（デイサービス）へボランティアに行った。そのことが、最近心に残った出来事である。

その頃、私は将来人に関わる仕事に就きたいと、ただ漠然と考えていた。しかし、いまひとつ具体化されていなかったため、自分の卒業してからの目標が定まらず、進路相談のたびに悩んでいた。

今回は、そのような中でのボランティア活動であった。ボランティア当日、お年寄りのみなさんは私とたくさんお話しをしてくれた。その中でも印象に残ったのは、戦争で夫を亡くし、女手一人で三人のお子さんを育て上げたおばあさんである。

そのおばあさんは亡くなった夫の母親を介護した経験から、みずからデイサービスを希望して参加している人であった。「私の時は義母を自宅で介護して大変だった。今はこんなに便利な制度があって助かる」と語っていたのが、とても印象に残っている。そのおばあさんはにっこり笑って手を振りながら、夕方、自宅へと帰っていった。

この経験を通じて、私は自分が本当にやりたいことを具体化できた。それは、このような満面の笑顔が絶えない地域作りに貢献していきたいということだ。現在、私は地域ボランティアに積極的に参加している。その経験をもとに私は、人や地域のために役立つ公務員になりたい。そして、人々、特にお年寄りがより快適な暮らしができるよう、公務員として高齢者福祉の仕事に積極的に取り組んでみたい。

※赤字の部分はポイントとなる修正箇所です。添削がどのように反映されているか考えながら読みましょう。

答案例

これから挑戦したいこと

「未来の自分中心型」は具体的に将来の計画を述べましょう

国家一般〈高卒〉レベル 45分・600字

「夢」の提示

私は将来、住民のニーズに応えることができる公務員になりたい。

「課題」の提示

そのために私は、今後、人の意見にじっくり耳を傾けることに挑戦していきたい。

なぜなら、私は小さい頃から人の意見を聞かずに独断だけで行動をしてしまい、失敗ばかりしてきたからだ。そのたびに、頭のどこかで人の意見や助言はじっくりと聞かなければならないとわかっていた。しかし、実際はその時だけですぐ忘れてしまうのがほとんどであった。そんな時、アルバイト先でその挑戦を心底決意する出来事が起きた。

「夢」を実現させるかを書きましょう。

NOTE

●この答案は「未来の自分」中心型で書かれるべきものですが、ある問題点を抱えています。それは一体なんでしょう？　「未来の自分中心型」の書き方に照らし合わせて考えてみましょう。

経験談はもう少し短くして、どうやって将来の

先日、アルバイト先で指示をじっくり聞いていなかったことによって、ミスをしてしまった。そのため、多大な迷惑が全体にかかってしまった。その時、アルバイト先の先輩が私に「まずは人の話を聞くことが大事だよ」と声をかけてくれた。

その一言は、いままでの自分を改めるきっかけとしては十分すぎるほど痛かった。この時私は、人の話を聞くことができてはじめて、そこからその意見に対して自分なりにどうよくしていこうか、などと発展していくものだと改めて実感した。

私は、将来の夢を実現させるためにも、いまはまず、この挑戦をしていかなければならない。そして将来は、住民の声からよりよい国づくりができる公務員になりたい。

ここに至るまでの具体的な計画を書いてください。

TIPS! ①

アルバイト経験

アルバイト経験を語る時に気をつけたいのは、自分がさまざまなアルバイトを経験したということだけをアピールするやり方です。アルバイト経験で大事なのは「いくつアルバイトをやったか」ではなく、アルバイト経験から「何を学んだか」なのです。自分のアルバイト経験をふり返り、自分がそのアルバイトを通じて何を学んだかを明確に語れるようにしておきましょう。

これから挑戦したいこと

ここがポイント!

以前国家Ⅲ種（現 国家一般〈高卒〉）で出題された、「未来の自分中心型」の課題です。

これも特別なプロットを要求する課題ではありませんので、33ページの「未来の自分中心型」小論文の書き方に沿って書けばよいでしょう。

このような課題は自分の将来の計画を、段階を追って具体的に述べなければなりません。段階を踏んだ現実的な計画を述べることで、公務員に必要な堅実性や信頼性をアピールすることができます。

こうすればもっとよくなる!

今回の答案は挑戦するべきことがすぐに取り組めることになってしまっていることが欠点です。せっかく「住民のニーズに応えることができる公務員に」なる、という将来の「夢」が設定されているのに、そこから一気に「人の意見にじっくり耳を傾ける」という「課題」に話題が移ってしまい、あとはその「課題」にまつわる自分の経験の話で終わってしまっているため、結果としてこの人が公務員になってどのようなことをするつもりなのかが印象に残らなくなってしまいました。

書き直しの方針としては、まず「夢」と「目標」と「課題」を具体的に把握し直し、それを段階的に述べるようにすることです（「夢」と「目標」と「課題」については32ページを参照）。そうすることで、答案のレベルがさらにアップすることでしょう。

修正答案

これから挑戦したいこと

私は将来、住民の声をよく聞き、住民のニーズにきめ細やかに応えることができる公務員になりたい。そして公務員として住みやすい地域づくりに挑戦したいと思う。

私は小さい頃から人の意見を聞かずに独断だけで行動をしてしまい、失敗ばかりしてきた。そして高二の時は、アルバイト先で指示をじっくり聞いていなかったことによって、大きなミスをしてしまった。その時、アルバイト先の先輩が私に「君は仕事ができることに自信を持っているようだけれど、仕事は君一人でやっているわけではないのだよ。まずは人の話をしっかり聞いて、みんなで仕事をしていくことが大事だよ」と声をかけてくれた。その一言は、今までの自分をふり返るきっかけとしては十分すぎるほど痛かった。

それ以降、私は人の話をよく聞くことを自分に言い聞かせ、そのとおり実行してきた。そして公務員をめざすことを決めた今、住民の声をよく聞き、それを行政に反映させることができる公務員が、私のめざす公務員像となったのである。

そのような公務員になるためには、まずこの地域の現状をよく知り、実際的な政策を提案できるようにならなければならない。そのためにも早く仕事を覚え、実際に街に出てさまざまな人と意見交換をしたい。なぜならそうすることで地域住民の生の声が聞き取れると思うからだ。

そして、仕事の現場では、上司や同僚の話もきちんと聞くようにし、一日も早く周りから信頼されるような公務員になりたいと思う。仕事は私ひとりで行うものではなく、多くの人の協力と連携のもとに行われるものだからだ。

まず周りの人の話をよく聞き、地域の実情をよく知る。そして、住民のニーズに耳を傾け、そのニーズを一つ一つ実現していきたい。それが私がこれから挑戦したいことである。

※赤字の部分はポイントとなる修正箇所です。添削がどのように反映されているか考えながら読みましょう。

答案例

あなたの経験をふまえて、次世代の子供たちに伝えたいと思うことを論じなさい

「作文基本型」では「過去」をふまえて「未来」を語りましょう

地方上級レベル
90分・無制限

最終段落のために削除します。

簡潔に設問の要求に答えます。

私の経験をふまえて、次世代の子供たちに伝えたいと思うことは、遊びや直接体験をすることだ。このことで、学校で教わったことに実感を持たせることができる。

私が中学や高校生のころ、福祉分野の発展がめまぐるしかった。「ノーマライゼーション」や「バリアフリー」などの単語が、公民を中心とした授業に使われることが多くなっていた。だから当然テストにも出題されるため、テスト前は必死で単語の意味を覚えようとしていた記憶がある。しかし、テストが終わると苦労して覚えたにもかかわらずすぐ忘れてしまう。そのせいで、結局いざというときに知識が使えなくて自分の記憶力の弱さに自信がなくなったことがある。

私は、高校二年の夏にある体験をした。その体験により、自信を取り戻すことができた。その体験とは、障害者やお年寄りの疑似体験である。私は、サポーターをそれぞれひざとひじにつけるだけの軽いものであった。しかしそれだけでも、普段の「歩く」や「手を動かす」といった簡単な動作は大変だった。短い時間であったが体験し

NOTE
●この答案は「作文基本型」ですが、「未来の自分」がすこし抽象的で、ボリュームが足りません。あなただったらどのような「未来の自分」をつけ加えますか？　具体的に考えてみてください。

根拠としての体験談

ている間に、ここには階段ではなく手すりつきの緩やかなスロープだったらもっと楽に歩くことができるのに、などの不満さえ持った。障害者の人たちやお年寄りの方たちはこの状態か、もしくはこれ以上大変な状態が普通である。だから、生活する場にいかに「バリアフリー」の環境が必要であるか、身を持って知ることができた。

根拠としての事実

他にも、私が授業でレポートを書く際に、アメリカの教育について調べたことがあった。アメリカでは、授業の一環として「いじめ」のロールプレイを導入しているところがあるそうだ。だれしも「いじめ」はよくないと頭では理解している。しかし、実際のところ「いじめ」られたことがない者にとっては、「いじめ」のすべてを理解できないだろう。だから、直接体験することで「いじめ」られることはどういうものであるか、身を持って理解することができるのだ。そのため、アメリカでは近年、「いじめ」が少なくなったといわれている。

この部分をさらに具体的に書き、どうやって行政が子供たちに直接体験の機会を保証するかを書きましょう。

この二つの例から、次世代の子供たちに伝えたいと思うことは、まず、「なるほど、これはこういうことだったのか」と自分自身で納得することである。そして、納得することで自分の知識がより深まる体験をしてほしい。そうすることで、机上だけの理論ではなく言葉そのものに重みが出てくるのだ。私は、遊びや直接体験を通じて次世代の子供たちに現実の世界を実感させていきたい。

Key Word

●ノーマライゼーション
福祉の理念の一つ。障害者や高齢者を特別視せず、一人の人間として同じように扱うこと。

●バリアフリー
高齢者や障害者に配慮し、建築物などで障害となりうる部分をなくしたりして「障壁」を取り除くという考え方のこと。

あなたの経験をふまえて、次世代の子供たちに伝えたいと思うことを論じなさい

ここがポイント！

地方上級、「作文基本型」の課題です。注意すべき点は、まず最初に「あなたの経験をふまえて」というように書くべき内容を指定してくる「設問応答型」であるということです。まず設問の要求に合わせてプロットを作成してから答案を作成しましょう。

また、地方上級職という点を考慮すると、単に自分の経験を述べるだけでなく、その経験がどのような社会的問題にリンクしているかも明らかにする必要があります。設問の要求に応えるのと同じくらい、その内容を吟味しましょう。

こうすればもっとよくなる！

遊びなどを通じて次世代の子供たちに「直接体験をする」ことを伝えていきたい、という指摘はユニークです。そしてそれが教育において重要な意味を持つという指摘もなるほど、と思わせるものがあります。またそう思わせた過去の出来事も適切な例でしょう。

しかし、今後、具体的に自分が公務員としてどのようにそのことを伝えていくつもりかが書かれていないため、答案の持つ説得力がいま一つ希薄になってしまいました。

字数の大部分を占める過去の自分の部分をもう少し簡略化し、もう少し未来の自分を具体的に述べましょう。例えば、具体的にどのような方法で直接経験の重要性を伝えていくかを書くようにするのです。そうすることで答案のバランスがよくなります。

修正答案

あなたの経験をふまえて、次世代の子供たちに伝えたいと思うことを論じなさい

私の経験をふまえて、次世代の子供たちに伝えたいと思うことは、遊びや直接体験をすることで、学校で教わったことに実感を持たせることである。

私は、高校二年の夏にある体験をした。その体験とは、障害者やお年寄りの疑似体験である。私は、サポーターをそれぞれひざとひじにつけるだけの軽いものであった。しかしそれだけでも、普段の「歩く」や「手を動かす」といった簡単な動作さえ大変だった。体験している時間は短かったが、内容は衝撃的であった。「ここには階段ではなく手すりつきの緩やかなスロープだったらもっと楽に歩くことができるのに」などの考えさえ心に浮かんだ。しかし障害者の人たちやお年寄りの方たちにっとってはこの状態か、もしくはこれ以上大変な状態が普通なのである。だから、生活する場にいかに「バリアフリー」の環境が必要であるかを身を持って知ることができた。

他にも、私が授業でレポートを書く際に、アメリカの教育について調べたことがあった。アメリカでは、授業の一環として「いじめ」のロールプレイを導入しているところがあるそうだ。だれしも「いじめ」はよくないと頭では理解している。しかし、実際のところ「いじめ」られたことがない者にとっては、「いじめ」のすべてを理解できないだろう。だから、直接体験することで「いじめ」られることはどういうものであるか、身を持って理解することができるのだ。そのため、アメリカでは近年、「いじめ」が少なくなったといわれている。

この二つの例から、私は直接体験の重要性を学んだ。次世代の子供たちに伝えたいと思うことは、まず、「なるほど、これはこういうことだったのか」と自分自身の体で納得することである。そして、体感することで自分の知識がより深まる体験をして欲しい。そうすることで、頭の中の知識は、実際に使える知恵になるのである。

ではこのような体験をさせるために行政ができることはなにか。

例えば、学校と連携するなどして直接体験の場を設けることもできるだろう。総合的な学習と連携することで、直接体験の機会を保障できるかもしれない。例えば福祉施設の開放や、私が体験したような模擬体験を学校で出張実演することも、福祉行政の一環として行うことができるだろう。また、福祉や人権の学習に限らず、さまざまな面で行政と学校が連携することができれば、心豊かな子供の育成につながるに違いない。そして私は、これらの仕事に公務員として携わっていきたいのである。

※赤字の部分はポイントとなる修正箇所です。添削がどのように反映されているか考えながら読みましょう。

模範文例

趣味から得たもの

国家一般〈高卒〉レベル
45分・600字

注目！

国家一般〈高卒〉の「作文基本型」の答案です。バランスよく「過去の自分」と「未来の自分」を述べましょう。今回の答案では、水泳部で学んだことを具体的に述べた後、それを生かして公務員としてどのように仕事に取り組んでいくか、その意気込みをアピールしています。具体性に欠けるきらいがありますが、整った答案といえるでしょう。

＜過去の自分＞具体的な“事件”を書いたほうがさらによくなります。

私の趣味は、水泳である。水泳から得たことは、じっと辛抱したからこそ達成感・充実感が得られること、一人ではできなくても仲間がいればやり遂げられること、という二点である。

大学の水泳部の練習は、たいへんきつかった。プールが見えてくると、「どうして水泳部になんて入ったのだろう」と足取りが重くなったほどである。では大会で表彰されることなど皆無だった私が、なぜ泳ぎ続けることができたのか。それは泳ぐことが好きなのはもちろん、つらさに耐え抜いて練習を終えた時に味わえる達成感・充実感が素晴らしかったからだ。その素晴らしさは、何ものにも代えがたい。そして、一緒に泳ぐ

＜未来の自分＞少し抽象的で精神論になっています。

仲間。彼らがいたからこそ、つらい練習に耐えられたのだと思う。水泳は個人競技ではあるが、仲間の存在は大きい。同じ練習に耐えている仲間が、私の支えになっていたのだ。

公務員は、地域社会の人に対するサービス業である。公務員は人々が安心して生活できるように、目標を設定し、それに向かって努力していかなければならない。その目標を達成するためにはさまざまな困難があり、そう簡単には目標は達成できないであろう。そんなときでも私は決してあきらめず、忍耐強く努力していくつもりである。また、他の人とチームを組めばより大きな仕事ができる。一人では成し得ないことを、他の人々と協力し合うことで成し遂げていきたい。

具体的に公務員として何がしたいかが書けるとさらによくなります。

水泳から得たものを活かし、公務員として、人々のために全力を尽くしていきたいと思う。

TIPS! ②

仕事と趣味

自分の趣味の時間を充実させたくて公務員を志望する人も多いでしょうが、それをそのまま面接で語ったり、作文で書いたりしてはいけません。公務員試験で趣味を語る時は、あくまでも公務員の仕事に直接的、間接的に役立つという形で語らなければなりません。その意味でスポーツは比較的無難な趣味と言えるかもしれません。どのような職場であっても、健康な人のほうが仕事に適応できると判断されるからです。何か一つは身につけておいたほうがよいかもしれません。

模範文例

学生生活を振り返って

地方初級レベル
字数・時間不明

高校生活を振り返って思い出すのは、二年の文化祭のことだ。実行委員をしていた隣のクラスの友人と意見を交わし合ったことがもっとも印象に残っている。

私は、クラスの出し物で「お化け屋敷」を提案した。しかし、担任に「はめをはずしすぎ」と却下されてしまった。それを友人に話すと「与えられた枠の中ではめをはずせばよい」といわれた。「枠が小さすぎて話にならない」と私は反論し、文化祭に対してもやる気を失っていた。

そんな私を挑発するように、友人は議論をふっかけてきた。「はめをはずす」とは何か、「悪ふざけ」とどう違うのか。友人と意見をいい合ううち

具体的な経験が書かれていて
強い印象を与えています。

注目！

地方初級「過去の自分中心型」の課題です。答案の三分の二を過去の経験の報告が占めています。『「枠があること」と『自由がないこと』はイコールではない』という気づきが最後の段落の決意表明にうまく結びついています。最後に一言でもよいので、公務員としてやりたいことを具体的に述べる部分があるとさらによくなったでしょう。

この部分は公務員を志望したきっかけを書くほうがよいでしょう。

ちに、私は次第にやる気を取り戻していった。そして「枠があること」と「自由がないこと」はイコールではないこと、そして教師からはめられた「枠」を広げるには、枠が狭いとぼやくのではなく、自分たちの実力を発揮し、教師から「もっとできる」と期待されることが必要だということに気がついたのである。

このように経験の分析を書くことで経験から学ぶことができることをアピールできます。

結果的に出し物は「占いの館」になった。占いなどには興味のなかった私も手相を必死で学び、来場者と充実した時間を過ごせた。友人は、人と深く話し合うことの楽しさを教えてくれ、文化祭の成功へと導いてくれた。

今後、仕事をしていくとき、まずは与えられた枠の中で精一杯の工夫をしたいと思う。そして実力をつけ、周りから期待されることで与えられる枠そのものを大きくしていけるよう努力したいと思う。

この部分は今の段階で公務員としてやりたいことを具体的に書いたほうがよいでしょう。

TIPS! ③

学生生活

学生生活を語る時、注意しなければならないのは「大学で学んだことをぜひ生かしたい」というアプローチです。大学で学んだことをアピールすること自体は問題はないのですが、採用された後に確実に学んだことを生かせる部署に配属されるとは限りません。あまりに自分が学んできたことに固執しすぎると「融通が利かない」と判断されてしまいます。学んだことも大事にしつつ、新しい領域に柔軟に対処する能力と意志があることをきちんとアピールしましょう。

私が行きたい外国

国家一般〈高卒〉レベル
45分・600字

注目！

国家一般〈高卒〉の課題です。一応「未来の自分中心型」に分類しておきましたが、「行きたい外国」の話は直接公務員の業務とは関係がなさそうなので、具体的に渡航計画を述べるのではなく、比較的いままでの経験に重点をおいて答案が作成されています。だからといって公務員の仕事に全く関係のないことを書いても仕方がありませんので、仕事の参考になる国を訪ねる計画にしてあります。

課題の要求に簡潔に答えています。公務員の業務と関連した内容であることがポイントです。

私が行きたい外国は、アメリカである。個人主義の進んだ社会で、公的サービスがどのようにさまざまな人たちに対応しているのか、公的サービスと民間機関やボランティアなどがどう関係しているのかを見てきたいのだ。

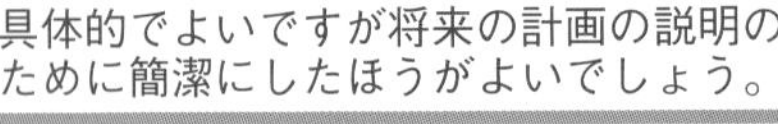
具体的でよいですが将来の計画の説明のために簡潔にしたほうがよいでしょう。

私は、アメリカで二年間生活したことがある。そこで私は学校や教会などで、ボランティア活動を経験した。学校では、学級通信や教材の作成、子どもの学習達成度のチェックなどもボランティアの人たちが行っていた。ボランティアなしでは学校生活が成り立たない状態であった。また教会では、毎日、ホームレスの人たちに食事や衣服を提供していた。

アメリカは外国からの移住者が多く、また、能力や生活レベルの格差も激しい。さまざまな人々に対応するには、民間機関やボランティアに頼らざるを得ないのであろう。

日本は少子高齢化が進み、このままでは公的なサービスだけでは住民のニーズに対応しきれなくなる可能性がある。その代表的な例が介護である。民間と行政が仕事を分担して効率化を図るなど、そろそろ民間機関などとの連携について考えなくてはならない時がきている。

ここを具体的に書くことでより現実的になります。

このような状況で、アメリカには学ぶべき点が数多く存在すると思われるのである。

私は公務員として変化の激しい社会に対応し、人々に安心できる生活を提供するため、視野を広くしてあらゆることを学ぶつもりである。そのためにもアメリカに行き、さまざまなことを学びたい。

Key Word

●少子高齢化
子供の絶対数が少なく、合計特殊出生率も低下していると同時に、人口に占める高齢者の割合が高まっている社会。

模範文例

公務員として挑戦してみたいこと

地方初級レベル
時間・字数不明

注目！

地方初級、「未来の自分中心型」の課題です。まず設問の要求に端的に答え、なぜそれに挑戦したいのかを「過去の自分」とで説明しています。字数の関係で「未来の自分」を提示することで「未来の自分」が少し物足りない感じもしますが、もう少し字数に余裕があるときは第五段落をより具体的に書き込むとよいでしょう。

課題に簡潔に答えます。

私は、公務員としてお年寄りと子どもとが交流できる場を作ることに挑戦したい。

以前、ボランティアに行っていた老人ホームでは、小学生の慰問が定期的に行われていた。たまたまその時の慰問は、小学生と一緒に昔ながらのおもちゃで遊ぶ、というものであった。

最初はお年寄りも子どもたちも、どうしたらよいかとまどっている様子であった。しかし時間が経つにつれ、小声で話していたお年寄りも、よく喋り、大声で笑うようになっていた。また、お年寄りと一定の距離を置いていた小学生も、お年寄りの手を支えてあげたり、遊びに夢中になってずり落ちたひざ掛けを直してあげるなど、お年寄りに対して気遣

大変具体的でよいですが、後半のためにもう少し簡潔なほうがよいでしょう。

この部分をもっと具体的に

いを見せるようになっていた。

この分析は次の段落の主張を展開する上で非常に効果的です。

私はこの慰問で、お年寄りと子どものふれあいが、互いによい影響を及ぼすことを実感した。次代を担う子どもと、人生経験豊かで社会に貢献したお年寄りが、一緒に過ごす機会がいまの社会には本当に必要だと感じたのである。

以前テレビで、託児所と託老所が合体した施設があることを知った。今後はこのような施設がどんどん増えるべきである。建物やスタッフなどを共有すればコストの削減にもつながり、財政的にもメリットが大きいだろう。またすぐにそのような施設が作れなかったとしても、小正月や節分・月見などの行事を利用して、両者が一緒に集まる場を提供することはすぐにできるはずだ。

お年寄りも子どもも大事な地域の宝である。だからこそ、私は町役場の職員として、お年寄りと子どもとの交流の場を作ることに挑戦したい。

TIPS! ④

起承転結はダメ

いまだに作文は「起承転結」で書け、と指示している参考書がありますが、この形にとらわれるとロクなことになりません。もともと「起承転結」は漢詩を作る時の形式ですので、論作文試験、ことに論文型の小論文試験ではほとんど役に立たないのです。また作文型であっても無理に「転」の部分を作ろうとすると流れが不自然になることが多く、うまく「結」に結びつけることが難しくなるようです。「起承転結」は忘れたほうがよいでしょう。

模範文例

海

国家一般〈高卒〉レベル
45分・600字

私にとっての「海」＝「祖母」という連想です。

祖母を思い出すとき、私の脳裏には「海」が浮かんでくる。広く、深く、大きい。そんな人柄が「海」を連想させるからだ。そればかりか、祖母のもとには実際にさまざまな「波」が集まってきた。

この比喩は非常に効果的です。

事実の報告

　祖母の家に遊びに行くと、必ずといっていいほど客人がいた。若い人や祖母よりも高齢の人、赤ん坊を抱いた母親や背広姿の紳士がいることもあった。目の不自由な人や車椅子の人、声の出ない人や片腕のない人もいた。いろいろな人たちが訪ねてきては、ひとしきり祖母と話をして満足そうに帰っていった。

　いま思えば、近所の人たちにとって祖母は、相談役のような存在だっ

注目！

国家一般〈高卒〉の「抽象問題」です。作文型の抽象問題ですので「私にとっての」をつけて考えましょう。今回の答案は「私にとっての『海』は祖母である」というアイデアをもとに組み立てられています。答案の形式自体は「作文基本型」で、祖母の思い出を通して「過去の自分」を述べ、「公務員として地域住民の声に耳を傾け」るという「未来の自分」へつなげています。

事実の分析

たのだろう。祖母のもとに集まるさまざまな人たちは、何かしら「通常とは違う」部分に悩み、生きにくさを抱えていたように思う。どの人に対しても、気さくに愛情深く接する祖母を見て育った私は、「人はみな違っていて当たり前」と思うようになった。そして、祖母のような人の存在が地域に暮らす人々の大きな支えになることを肌で感じていた。

少し文学的すぎるきらいがあるかもしれません。これ以上無理に文学的表現を使う必要はありません。

「波」はひとつとして同じものはない。人も、それぞれがみな違うことが自然に受け入れられるようになれば、いまよりもっと住みよい社会になるだろう。

私は公務員として、どの人も親しんだ場所で快適に暮らせる社会を作っていきたい。祖母が自分のもとに集まってきた人たちの悩みを一生懸命聞いていたように、公務員として地域住民の声に耳を傾け、さまざまな人が快適に過ごせる社会を作る手伝いをしていきたいと思う。

TIPS! ⑤

文学的すぎるのもダメ

「起承転結」とおなじく「作文」＝「文学的文章」という思い込みも、ピントはずれな答案を生みだす元凶となります。中途半端に文章力に自信のある人が文学的に書いた答案ほど合格から遠いものはありません。文学的に凝りすぎることなく、「わかりやすさ」をモットーに素直な文章を書くようにしましょう。ただ当然のことながら「わかりやすい文章」＝「幼稚な文章」でもありません。社会人として通用する明快な「達意の文章」を目指しましょう。

模範文例

職務経験論文

あなたがこれまで民間企業等で携わった職務において、どのような問題意識を持ったかを述べ、実際に直面した課題について、その原因をどのように分析し、その解決又は改善のために何を成すべきと考え、そのためにいかに取り組み、どのような成果をあげたかを具体的に述べて下さい。

地方上級レベル
60分・900〜1100字

注目！

東京都特別区の社会人経験者向けの問題です。非常に細かく答案に書くべき内容を指定してくる問題ですので、注意深く設問の要求を読み取り、忠実に応えていくようにしましょう。上記答案例は、非常にきれいに設問に応えています。「実際に直面した課題」が、今ひとつ抽象的なのが惜しまれますが、それ以外はバランスも良く、最後の段落で公務員を目指す個人的な強い動機も書かれていて、説得力のある答案になりました。

問題意識の定義

私がこれまでの職務を通じて得た問題意識は、「顧客に喜ばれる商品を提供するために最善を尽くす~~こと~~（ためにはどうしたらよいか）」である。

（どのようなトラブルだったかをもう一歩具体的に書くと良いでしょう）

実際に直面した課題

この問題意識を私に与えてくれた実際の課題は次の体験である。私は自分の職務を担当した当初、仕事において大きな失敗をした。顧客から提示された仕様に基づいて開発した商品が、意に反して顧客の生産現場では使い勝手が悪く、生産トラブルが発生したのである。この生産トラブルの理由は、私が現場においてどのように商品が取り扱われるかを十分確認せずに、顧客から提示された仕様を全面的に信じて、商品を開発したことにあった。

原因の分析＋何を成すのか

後に私は、このトラブルの原因を、自分自身の仕事に対する気配りが足りなかったことにあると分析した。（そして）その解決のために、今後は常に自分の目で現場を確認し、よりよい商品の提供を目指して、細かいところまで気を配るべきと考えた。

そのために私は次のことに取り組んだ。第一に、提供する商品が顧客の最終製品として完成

どのように取り組んだか ／ どのような成果を挙げたか ／ まとめ＋決意表明

するまでに、どのように取り扱われるのかを必ず確認するようにした。第二に、仕様を決定する最終ユーザーだけでなく、物流や加工を担当する中間業者や、顧客の生産現場を〔も〕訪問し、提供する商品に関わるすべての人とコミュニケーションを取りながら、十分な情報収集に努めた。

　このような取り組みの結果、私は次のような成果を得た。まず、現場において同様の生産トラブルが発生することはなかった〔がなくなった〕。そして、多くの関係者とコミュニケーションを密に取ることで、顧客から提示される仕様書には記載されていない、現場が必要とする性能を、開発仕様に取り入れることができた。傷がつきにくく、加工がしやすい商品を提供するようになったことで、各現場では生産性が向上し、さらに総合的に品質が向上したことで、今まで以上に顧客の信頼を得ることが出来た〔できた〕。顧客をはじめ、仕事で関係する多くの人々の喜ぶ顔を見ることは、私にとって最高の喜びであった。

　私は、仕事を通じて多くの人を幸せにする喜びを体験した。わが国は、今後極端な少子高齢化が予想され、すべての住民が安心して暮らせる地域社会を築く上で、地方行政の役割はより大きなものとなる。私は両親の介護経験から地方行政サービスに自分の経験が活かせないかと考えるようになった。〔個人的な動機は強い説得力を持ちます。〕合格後は公務員としてより多くの人の幸せのために、これまで培ったコミュニケーション能力を活かし、特別区職員として一層職務に励む所存である。

TIPS!⑥

ウソのつき方

「バカ正直は正直なのではなく、バカなのだ」と第二日に書きましたが、ウソばかりでもよくありません。ウソの話はやはり具体性に欠け、説得力に欠ける傾向があるのです。できる限り自分の経験から書く材料をみつけ、それを書くようにしてください。どうしても自分の経験で書けない時に、周りの人、メディア、と探す幅を広げていくのです。また面接で聞かれて困らないよう、自分が答案で書いた話は覚えておくようにしましょう。

COLUMN

自己分析のポイント

本日は「自己を語る」について学んできましたが、結局、「自己を語る」小論文で一番大事なのは、自己分析です。以下に過去の自分と未来の自分を考えるための代表的な質問をそれぞれ四問ずつ挙げます。自分自身を知るためにも、ぜひ答えを考えてみてください。

《過去の自分編》

Ｑ１「学生時代にいちばん熱中したことは何ですか？　またそこから何を学びましたか？」

Ｑ２「公務員を志望したきっかけとなったエピソードは何ですか？具体的に思い出しなさい」

Ｑ３「いままでの人生で一番学ぶところの多かった“最高の失敗”はなんですか？」

Ｑ４「最近の出来事で一番心に残っていることは何ですか？　またその理由は？」

《未来の自分編》

Ｑ１「あなたが公務員として社会に貢献できることは何でしょう？なるべく多く挙げなさい」

Ｑ２「三年後のあなたは何をしていますか？」

Ｑ３「十年後のあなたは何をしていますか？」

Ｑ４「あなたが退職するときに後輩からスピーチを求められました。そのスピーチ原稿を400字で書きなさい。」

第4日

二本目の柱

「あるべき公務員像を語る」

本日のポイント

第4日 「あるべき公務員像を語る」

今日は「あるべき公務員像を語る」小論文の答案例を勉強します。このページは左記のような心構えで読んでください。

【地方初級を受験する人】

「自己を語る」と同じく、よく出題される課題ですので、答案例を自分に引きつけて読んだ上で、類題に挑戦しておきましょう。

【地方上・中級を受験する人】

単体で出題されることはあまりありませんが、論文型小論文の中で、論じる必要が出てくる場合があります。どのような点が問題になっているかまとめておきましょう。また面接対策としても重要です。

【国家一般〈高卒〉を受験する人】

直接聞かれることはあまりありませんが、答案のまとめの部分として使うことができたり、面接の対策となります。読んだ上で自分なりの公務員像を語れるようにしておきましょう。

【国家一般〈大卒〉を受験する人】

地方上級志向の人と同じく、論文型小論文の中でどのように公務員像を語るかを学んでください。

「何を」「どう書くか」のまとめ

- **すべての基本は「全体の奉仕者としての使命感と責任感」を持っている公務員！**
- **”スーパー公務員“（15ページ）をもとに自分の理想を作り上げておくこと！**

●地方初級と国家一般〈高卒〉で出題された場合は、基本的に作文型で対処すること！

●地方上・中級で出題された場合は、基本的に論文型で対処すること！

●どんなテーマも設問の要求に沿って回答することが一番大事。まず設問にきちんと応えることを意識しよう！

くわしい書き方はここを参照！

「作文基本型」……28ページ
「過去の自分中心型」……30ページ
「未来の自分中心型」……32ページ
「論文基本型」……36ページ
「説明中心型」……38ページ
「提案中心型」……40ページ

過去問の類題に挑戦しよう！

No.3「私の目指す公務員像」（地方初級・60分・800字　※時間と字数は参考）

No.26「公務員に必要なこと」（地方初級・60分・800字　※時間と字数は参考）

No.35「公務員として挑戦してみたいこと」（地方初級・60分・800字　※時間と字数は参考）

No.90「これからの公務員に求められる資質について」（地方上級・90分・800字）

No.136「魅力ある都市と公務員の役割」（地方上級・90分・1000字）

No.137「多様化する住民意識とこれからの公務員」（地方上級・90分・1000字）

※類題に挑戦するときは制限時間と字数を守りましょう。また、書けたら信頼できる人に見てもらいましょう。

答案例

公務員に必要なこと

自分の経験から公務員に必要な資質を考える練習をしましょう

地方初級レベル
時間・字数不明

公務員に必要なこと、それは何か問題が起きたときによい方向へ持っていこうと努力することである。

（表現が少し幼い印象を与えます。）

例えば、学校の生徒会でもいえる。以前、私は生徒会の役員をしていたことがある。ただ、生徒会は苦情受付役としてだけの機関ではなかった。

（この一文は不要です。）

ある日の生徒総会で、女生徒から「スカート丈をもっと短くしてほしい」との要請があった。それをはじめとして、次々に生徒の間から苦情や要請が出された。総会後、私たち生徒会は出された苦情の多さに改善のための行動を起こすのが嫌になっていた。しかし、役員の一人が「できないといってそのままにしておくのはだれにだ

（具体的な出来事が書かれていて、説得力があります。）

NOTE

●この答案は書かれた素材はよいのですが、表現がすこし幼い感じがします。原因は何でしょう？　またどうすればその問題が解決すると思いますか？　表現上のテクニックから考えてみてください。

ってできる」といった。その言葉で私たちは、全校生徒の代表として選ばれたのだという自覚と責任感を取り戻した。そして、すべての苦情ができるだけ改善できるように先生方にかけあって変えてもらおうと努力をした。

すると、先生方も不満を持った生徒たちも私たちの行動を見ていたせいか、お互い譲歩しあいながら話し合いを進めることができた。結果、制服改正案を作ることに成功した。

公務員の仕事においても学校の生徒会と同じことがいえるだろう。問題が起きたからといってそのままにしていては、不満をもった人を満足させられない。だから、何かしら改善しようと努力するその姿勢が必要なのである。そうでなければ、地域住民の人の信頼を得ることはできないであろう。私はつねによい方向に持っていこうと努力し、信頼される公務員になりたいと思う。

結論としては当たり前すぎる印象を与えています。

TIPS! ⑦

反体制的な言説

公務員は国家体制そのものです。現在の国家体制を維持することが公務員の最優先項目になります。ですから原則的に公務員は保守的にならざるを得ません。それと同時にこの速い社会の変化に柔軟に対応できる革新的な発想も求められているのですから、これからの公務員は大変です。公務員試験では、原則的には保守的な態度で革新的な提案を行いましょう。できる限り慎重に問題点を検討し、なるべく現実性の高い提案を行うのです。間違っても過激な反体制的答案を書かないようにしましょう。

添削

公務員に必要なこと

ここがポイント！

地方初級で出題された「あるべき公務員像を語る」課題です。地方初級での出題ということですので「作文基本型」で書くのが望ましいでしょう。

プロット的には何も特別なことは要求されていませんので、29ページの「作文基本型」小論文の書き方に沿って書けばよいでしょう。

「生徒会活動」「部活動」「アルバイト」など、あなたがいままで経験してきたことの中に、きっとこれからの人生（仕事）に役立つことがあるはずです。それら過去の自分の経験とうまく結びつく「公務員に必要なこと」を探し出し、それを簡潔に述べられれば、採点官の印象に残る答案となります。

こうすればもっとよくなる！

ここで述べられている過去の経験はとてもよいものですが、そこから学んだことが「何か問題が起きたときによい方向へ持っていこうと努力すること」という表現では、すこし当たり前すぎる印象を与えてしまいます。

この表現を例えば「公務員に必要なこと、それは利害関係を調整する能力である」という形にすると、グッと大人っぽくなり、説得力が増します。

また、またその能力が実際に公務員として仕事をする上でどのように役に立つのかも、具体的に予測して書けるとさらによくなるでしょう。

過去の経験をもう少し簡潔に表現し、その上で、今後どのようにその能力を使うつもりか書き込むようにしてください。

修正答案

公務員に必要なこと

公務員に必要なこと、それは利害の対立する問題をうまく調整し、解決に導く力である。

以前、私は生徒会の役員をしていたことがある。

ある生徒総会で、女生徒から「短いスカート丈を認めてほしい」との学校側への要請があった。それをはじめとして、次々に生徒の間から学校に対する苦情や要請が出された。

総会後、私たち生徒会は出された苦情の多さに改善のための行動を起こすのが嫌になっていた。しかし、役員の一人が「できないといってそのままにしておくのはだれにだってできる」と発言した。その言葉で私たちは、我々は全校生徒の代表として選ばれたのだ、という自覚と責任感を取り戻した。そして、すべての苦情と要請に対応できるように先生方とかけあって、現状を変えてもらおうと努力をした。

すると、先生方も生徒たちも、私たちの行動を見ていたせいか、お互い譲歩しあいながら話し合いを進めることができた。その結果、我々生徒会は制服改正案を作ることに成功した。

公務員の仕事においても学校の生徒会と同じことがいえるだろう。問題が起きたからといってそのままにしていては、不満を持った人を満足させられない。だから、改善しようと努力するその姿勢が必要なのである。そうでなければ、地域住民の信頼を得ることはできないであろう。

何かを変える時には何らかの問題が起こる。その時に公務員が利害関係を調整し、少しでもよい方向に解決していくべきなのだ。私は生徒会での経験を活かし、これから起こるであろう問題を少しでも解決に導き、住民から信頼される公務員になりたいと思う。

※赤字の部分はポイントとなる修正箇所です。
添削がどのように反映されているか考えながら読みましょう。

答案例

私の目指す公務員像

公務員としてどのように仕事に取り組むべきか考えてみましょう

地方初級レベル
時間・字数不明

人から感謝されることを前面に出すのは問題があります。

私の目指す公務員像、それは住民から「ありがとう」といわれる公務員だ。だれしも、人の嫌がることを進んでするのは嫌なものである。しかし、人に感謝されたときほど嬉しいことはない。

たとえば、学校のトイレそうじである。トイレは、教室などのそうじ場所とは違って狭い。狭いので、その分においがこもってしまってくさい。そのうえ、トイレは汚いし、その汚れを落とすのが面倒でやる気がしない。しかし、やるからにはていねいにやろうとは心がけている。

ある日、いつもよりそうじを終えた時間が遅かった。すると、放

NOTE

●あなたが試験官だったら、この答案に書かれた目指す公務員像についてどう思いますか？　考えてみましょう。

●この答案で書かれた話が自分の経験だとしたら、そこからあなたは何を学んだと思いますか？　考えてみましょう。

経験は具体的な“事件”が書かれていてよいです。

課後になってしまったので部活動へ行く前の生徒たちが私たちと入れ替わりで入ってきた。その内の一人が「今日のトイレきれいだね」といった声が外に聞こえてきた。いった本人は、何の気もなしでいったのだろう。しかしその一言でも、トイレをそうじした私にとってはとても嬉しい一言だった。いつもやる気がしなくて、面倒なことではあったが、明日もがんばろうという気になった。

これは、公務員も同じである。誠心誠意仕事をして、地域のみなさんに感謝していただく。そしてそれを喜びとして、ふたたび仕事に全力を注ぐ。それが私の考える理想の公務員像である。少しでもこの理想に近づくために、私はこれから努力していこうと思う。

この書き方では感謝されなければ仕事に情熱が持てない、と言っているような印象を与えてしまいます。

TIPS! ⑧

縦書きと横書き

この本ではすべての答案を縦書きにしてありますが、実際の答案では横書きで書かせるところも多いようです。また、原稿用紙ではなく罫線が書かれただけの解答用紙に書かせる場合も多いようですので、もしそのような情報が入ったら、練習の時に「横書き」「罫線のみ」で答案を作成する練習をしておいたほうがよいでしょう。基本的には縦書きと同じように書けばよいのですが、数字に算用数字を使うなど細かい点で異なります。

基本 添削

私の目指す公務員像

ここがポイント!

これも地方初級で出題された「あるべき公務員像を語る」課題です。こちらも78ページの実例と同じく「作文基本型」で書くのが望ましいでしょう。29ページの「作文基本型」小論文の書き方に沿って書くようにします。ただ、「私の目指す」という前置きがありますので、あくまでも過去の自分の経験とうまく結びつけて論じましょう。

また、この課題の経験と78ページの実例の経験は相互に使い回すことができます(これを「ネタの転用」といいます。くわしくは160ページ参照)。それぞれがもう一方のネタで書かれた場合、どのようになるかぜひ考えてみてください。

こうすればもっとよくなる!

今回の答案も78ページの答案と同じく、述べられている経験はよいのですが、それをまとめた言葉がよくありません。「住民から『ありがとう』といわれる公務員」という公務員像は、一歩まちがえると、住民から感謝される仕事=注目を浴びる仕事がしたい、というふうに捉えられかねません。

ここは逆に、「住民から取り立てて感謝はされないが、空気のように住民の生活を支える仕事ができる」という公務員像を理想にしたほうがよいかもしれません。

また、そうすることで、だれも注目しないけれどもみんながいやがる仕事をまじめにやり、みんなの役に立った、という今回の自分の経験とつながりが出てきます。

修正答案

私の目指す公務員像

私の目指す公務員像、それは住民から取り立てて感謝されることはないが、あたかも空気のように住民を支えられる公務員だ。だれしも、人に感謝されることは嬉しい。しかし、何より大切なのは感謝されることではなく、住民を陰で支えることなのである。

私は学校のトイレそうじが嫌だった。トイレは、教室などのそうじ場所とは違って狭い。狭いために、その分においがこもってしまって臭い。その汚れを落とすのが面倒でやる気がしない。しかし、やるからにはていねいにやろうとは心がけていた。

ある日、いつものように掃除を終え、トイレから出た。そこへちょうど何人かの生徒が入ってきた。その内の一人が「いつもここのトイレはきれいだよね」と話す声が外に聞こえてきた。言った本人は、何の気もなしで言ったのだろう。しかしその一言でも、トイレをそうじした私にとってはとても嬉しい一言だった。いつもやる気が起きず面倒なことではあったが、その時は不思議と、明日もがんばろうという気になった。

公務員も同じだろう。誠心誠意仕事をして、それをあえて誇るようなことはしない。しかし、地域の住民にどこかで感謝していただく。そしてそれを喜びとして、ふたたび仕事に全力を注ぐ。それが私の考える理想の公務員像である。だれもが嫌がる仕事でも黙々と取り組み、少しでも理想に近づけるよう、私はこれから努力していきたい。

※赤字の部分はポイントとなる修正箇所です。添削がどのように反映されているか考えながら読みましょう。

答案例

豊かでゆとりある地域社会を築き上げる上で、いま、地方公務員がすべきこと

「論文基本型」であるべき公務員像を語る練習をしましょう

地方上級レベル
75分・800字

地方上級にしては、少し抽象的で精神的なスローガンになっている傾向があります。まず「豊かでゆとりある地域社会」を定義しましょう。

豊かでゆとりある地域社会を築き上げる上で、いま、地方公務員がすべきことは、奉仕の気持ちを持って仕事をし、住民と信頼関係を結ぶことである。

だれしも、人の嫌がることをするのは嫌なものである。しかし、奉仕の気持ちを持ってそれを行うことは非常に大事である。それは、家の大掃除一つを例にとってみてもいえることである。

どこの家でも、年末には大掃除をするだろう。特に、台所にある換気扇の掃除は大変なものだ。換気扇は、毎日使っているせいか一年で触るのが嫌なほどひどく汚れている。だから当然、積極的に掃除をする気にならない。私の家でも、毎年年末になると換気扇掃除の押しつけあいになる。しかし何年か前から、その掃除を父が請け負うことになった。きっかけは、母からその仕事を押しつけられたことだ。父は普段、家にいないため、掃除をする機会

NOTE

●この答案には非常に大きな問題があります。それは何でしょう？考えてみましょう。

●この問題の出題者は受験生に何を求めているのだと思いますか？形式と内容の両方を考えてみてください。

経験談が長すぎて作文型の答案になっています。

がない。そのため、最初は嫌がりながら掃除をしていた。
　ところが、いやいやながら掃除を始めた父の表情が自然と、真剣なものへと変わっていった。掃除が終わると、換気扇は一年前よりもきれいに磨かれていた。それを見た母は、いつになく真剣な態度で父に感謝をしていた。感謝された側である父も、お礼をいわれたことで嬉しさを隠せなかったようだった。そのため、父は他の掃除も自分から積極的に引き受けるようになっていった。それがきっかけで、父は家の年末掃除の中心人物として、家族中から信頼されるようになった。

どのようにすれば信頼を得られるのか、どのように地域づくりを行っていくのか、具体的に書きましょう。

　公務員の仕事も、これと同じで住民からの信頼はとても大切である。なぜなら、住民に信頼されれば、一緒に地域づくりを行っていくことができるからだ。いままでは、公務員主導の地域づくりが盛んであった。しかしそれでは、その方向性に不満のある住民には信頼してもらえない。今後は、公務員も住民と協力しあっていくことが重要だ。そうすることで、豊かでゆとりある地域をつくっていくことが可能になるだろう。

TIPS! ⑨

見た目のよさも大事

「字の上手い下手は評価に関係ない。論文は中身で勝負」と考えている人は要注意。原則的にはそうかもしれませんが、採点官といえどもやはり人間。汚い字で書き殴った答案や、か細い線で弱々しく書かれた答案にはニュートラルな気持ちで向かうことはできません。美しくなくてもよいので、字ははっきりていねいに書きましょう。また、知識をアピールしたような漢字を多用した答案がありますが、これも使いすぎるとかえって読みづらくなります。

添削

豊かでゆとりある地域社会を築き上げる上で、いま、地方公務員がすべきこと

ここがポイント！

地方上級で出題された「あるべき公務員像を語る」課題です。地方上級での出題ということですので「論文基本型」で書くのが望ましいでしょう。

プロット的には何も特別なことは要求されていませんので、37ページの「論文基本型」小論文の書き方に沿って書くようにします。

「豊かでゆとりある地域社会を築き上げる上で」という前置きがついていますので、まず「豊かでゆとりある地域社会」とはどのような社会なのかを定義し、それを実現するために公務員はどのような仕事をするべきなのかを述べていきます。

こうすればもっとよくなる！

今回の答案は、「論文基本型」で書かれるべきものが「作文基本型」で書かれていることが最大の問題点です。

まず「豊かでゆとりある地域社会」というのはどのような社会なのかを定義します。その上で、現状を「説明」し、それをどうするべきかを「提案」します。

その際、忘れてはならないのは、問われていることが「いま、地方公務員がするべきこと」であるということです。つまり、「豊かでゆとりある地域社会」をつくるために、国家単位でなく、地方自治体が行ったほうがよい仕事は何か、そしてその仕事を地方公務員がどのように行ったらよいのか、を書く必要があるのです。

地方自治体の現状を社会的事象と結びつけてていねいに「説明」し、その上で現実的で実効性の高い、地方公務員として自分たちが「いまから」挑戦できそうな「提案」を行いましょう。

修正答案

豊かでゆとりある地域社会を築き上げる上で、いま、地方公務員がすべきこと

豊かでゆとりある地域社会とは、だれもが安心して暮らすことのできる社会である。安全であり、困った時には助け合い、地域が協力しあえる関係だ。そのような社会を目指すために、公務員は奉仕の気持ちをもって仕事をし、住民と信頼関係を結ぶことが必要だ。

安全や協力という点でいえば、昔の地域社会のほうが豊かであったといえる。地域の中にコミュニティがあり、困った時には助け合うことができた。また、不審者がいたとしても、すぐに気づくことができた。見たことのない顔にはすぐ気づけるからだ。確かに、個人のプライバシーが保障されなかったり、前近代的なしきたりが残っていたりと、住みにくい所もあった。それでもなお、地域社会として安心して暮らすことができたのである。

現代は個人のプライバシーを守り、それぞれが独立して生活している。それは一つの暮らし方であるが、今後はコミュニティづくりにも参加していくことが必要だろう。犯罪の発生率は高まり、独居老人の孤独死も問題となっている。個人のプライバシーをある程度制限することもやむを得ないかもしれない。

そのような時に、公務員が貢献することができる。地域のコミュニティづくりを主導し、ある程度進展したら地域住民の自治に任せる。はじめのきっかけづくりに参加するのだ。また、地域で困ったこと、例えば街灯がなくて夜道が危険であれば、その意見をすぐに取り入れて対策を立てる。警察とも連絡を取り合い、地域の利害調整も請け負う。こういった場面にこそ、住民のために奉仕する公務員が役に立てるであろう。

いまは地域の安心を守るために、公務員が率先して地域にとけ込んでいく努力が必要だ。そして住民の信頼を得て、住民とともに地域のコミュニティをつくり、安全を確保する。今後、豊かでゆとりある社会づくりのため、公務員が奉仕できることは多いはずだ。

※赤字の部分はポイントとなる修正箇所です。添削がどのように反映されているか考えながら読みましょう。

県民に期待される公務員

地方初級レベル
時間・字数不明

課題に端的に答えられています。

困っている人に気づき、適切な支援ができる。それが、県民に期待される公務員の姿だ。

私は高校時代、レストランでアルバイトをしていた。店に来た客を席に誘導し、注文を取る。料理ができあがれば席に届け、会計も担当する。どんな仕事も的確にこなすことを要求される仕事だった。

この段落は削除して
最後の段落をくわしく書きましょう。

はじめのうちは、いわれたことをただやっているだけだった。ミスさえしなければ店長から何もいわれないが、ほめられることもなかった。私もその立場に満足し、特に何をしようとも思っていなかった。

注目！

地方初級での出題です。自分の経験から県民に期待される公務員像を「困っている人に気づき、適切な支援ができる」と結論づけています。一応「作文基本型」に分類してありますが、どちらかというと「過去の自分中心型」に近いものがあります。できれば最後の段落で実際公務員としてどんなことに挑戦したいかを少しでも描いておくとさらによくなったでしょう。

実際に公務員として何に挑戦するかをくわしく書くとよいでしょう。

ある日、お客さんがジュースをこぼしてしまった。私はすぐにおしぼりをたくさん持っていき、一緒にテーブルや床などをふいた。お客さんからは「手伝ってくれて本当にありがとう」と感謝され、店長からも素早い行動を評価してもらえた。

私はその時に気づいた。困っていることに気づいたとき、すぐに支援できることが大事なのではないか。いわれたことをやるだけではなく、つねに周囲に気を配ることが大切ではないか。

この経験で得たことは、公務員になってもきっと役立つはずだ。住民が何かに困っているときに適切に支援できれば、住民から感謝されるようになるだろう。それが、県民のために尽くす公務員の理想的な姿であると思う。

TIPS! ⑩

いつの経験がよいか？

作文型小論文などで自分の経験を挙げる時は、なるべく新しい経験を挙げるようにしましょう。大卒者であれば大学時代、高卒者であれば高校時代の経験を書くようにするのです。あまりにも昔の経験では、「その時からいままで大した経験をしていなかったのだ」と試験官に思われてしまいます。例外は現在の自分を語る上で省くわけにはいかない、自分の性格やものの考え方を根本的に変えてしまった大きな事件。この場合は現在とのつながりで書くことができます。

魅力ある都市と公務員の役割

地方上級レベル
90分・1500字

注目！

地方上級での出題です。「○○と△△」という形での出題ですので、「論文基本型」で「○○」にあたる「魅力ある都市」について説明し、その後「△△」にあたる「公務員の役割」について述べます。今回の答案は都市の魅力を3点に集約し、それぞれについて公務員の役割を論じています。

このように3つに集約したのは評価できます。

「魅力ある都市」という言葉は概念のあやふやな言葉である。

この言葉から喚起される住民一人一人のイメージは異なり、その人のおかれた状況や境遇により、その都市が持つべき魅力は多種多様となるだろう。

しかし、あえて「魅力ある都市」の最大公約数的なイメージを私なりに集約すると、以下の3点に収束できる。

(1)消防・警察・救急設備が機能し、人々が「安全」に暮らせる都市
(2)社会保障や教育機会が保証され、人々が「安心」して暮らせる都市
(3)商業施設や公共施設が整備され、人々が「快適」に暮らせる都市

(1)は生活の一番基本の部分である。

最近増えている犯罪を予防し、火災や災害などに対する対策が充分取られている自治体でなければ、そこに住む住民はその自治体を信頼することができないであろう。（だ）

そして(2)は、(1)の上に成り立つ都市の魅力である。

基本的なインフラや各種の社会保障は、そこに住む住民のさまざまな不安を取り除き、安心して暮らすために（安心できる暮らしを提案するために、）自治体が完備しなければならないシステムである。これらのシステムを完備することで、住民は安心して生活するこ

３つの特徴それぞれに対応策を書いたため、少し抽象的になっています。

とができるのである。

（３）は、（１）と（２）の上に成り立つ一番上位の魅力である。活気のある商業施設や、住民が利用しやすい公共施設は、その都市が持つ魅力が一番分かりやすい形で表れるものである。また、自然環境の保全や時代に適応した情報インフラも今後は自治体が整えるべき「都市の魅力」であろう。

では、このような「魅力ある都市」を創り出すため、公務員はどのような役割を果たす必要があるか。

まず（１）に対しては、消防や警察に携わる公務員が、自分達は自治体運営のもっとも根幹をなす部分を支えているのだという自覚を持つべきだろう。その上で、つねに社会的弱者に対する配慮を忘れずに日常業務を果たすべきだ。具体的には高齢者宅への定期訪問や、情報インフラを活用した緊急連絡システムの導入などが考えられる。

そして（２）に対しては、道路課や市民課など住民の生活に日常的に関わる公務員が、住民第一の運営を行うべきである。住民が不安や不便を感じていることは何かをつねに考え、それを解消するためにはどうしたらよいかを常日頃考える必要がある。具体的には道路や公共施設などのバリアフリー化や介護システムの充実、教育施設の整備などである。

最後に（３）に対しては、経済課や文化・観光振興課など地域の発達を担う公務員が、本当に住民にとって快適なサービスは何かを考えながら仕事に当たるべきである。今でも問題となっているハコモノ行政や自治体の自己満足に陥りがちな地域振興策を排除し、つねに住民が本当に必要としているサービスは何かを考えながら業務を行うのである。具体的には住民と協働作業を行うプロジェクトや産学協同のプログラムの推進などが挙げられる。

右記のような役割を公務員が果たすことで、その自治体は確実に「魅力ある都市」に変わっていくことだろう。

TIPS! ⑪　説得力のある提案

提案をする時は、その提案が実現した時に起こりうるマイナス要因と、それに対する対応策まで書きましょう。そうすることでその提案が単なる思いつきではなく、現実に基づいた具体的な方策であると判断されます。公務員試験では、思考や感情のバランスがきちんととれているかも評価されますので、一面的にその提案のよいところばかりを見るのではなく、悪いところまで予想して、なおかつ対応策まで考えることでバランスのよさをアピールすることができるのです。

模範文例

税金への関心の高まりと公務員

地方上級レベル
90分・1000〜1500字

注目！

この問題も「○○と△△」という形ですので、まず「税金への関心の高まり」について説明し、その後「公務員はどうあるべきか」について論じます。今回の課題は、これからの公務員には「高い倫理観」が必要である、という主張を税金の観点から述べた答案です。「コスト意識」をキーワードに具体例を挙げて答案を作成しています。

現状説明

地方分権が進められようとする現在、住民の税金に関する関心もこれまで以上に高まっている。税源移譲が行われれば、自治体に直接税金が支払われる。住民の生活に直接関わる場面が増えてくるからだ。また、長引く不況の中、自分たちが支払った税金が正しく使われているかどうかということに対しても厳しい視線が注がれている。

このような中、公務員は、高い倫理観が必要だ。住民から預かった税金を効率よく、そして効果的に活用していくことが求められる。これまでのように、予算をとにかく消化するというような姿勢は決して許されないのだ。

公務員のあり方を簡潔に述べています。

自治体には民間企業のような競争がない。そのため、コスト意識、採算意識に欠けているという批判も多い。たしかに、公共サービスの中には、コストや採算を度外視しなければならないこともある。しかし、多くの場合はコ

現状を認めつつ、自説を展開しています。

コスト意識をキーワードに根拠を挙げる。

ストや採算を意識しなければ、いわゆる放漫経営になってしまう。景気がいいときならいざ知らず、現状のような不況の中ではそれは許されない。以前、第三セクター方式によるサービスの提供が盛んに行われた。しかし、結局は民間企業よりも低いコスト意識が災いし、事業そのものを清算することを求められたところも多い。

これからは、民間企業のような高いコスト意識を身につけ、倫理的に許されないような予算配分・執行をしてはならない。いかに効率よく予算を配分し、無駄なく使うかという手腕が求められる。この点、中部国際空港の手法は参考になる。民間企業から人材を招聘し、民間企業のコスト意識を持って公共事業に取り組んでいる。今後、この事業によって示されたその効果を、自治体も見習う必要があろう。

具体的な事実を挙げることで主張に説得力が生まれます。

これからの自治体は、「税金を正しく使う」という倫理観の高い公務員によって運営されるべきだ。そのような取り組みが続けられれば、住民からの関心に応えられる自治体となるだろう。

TIPS! ⑫

自分・僕・話し言葉

自分のことを指す時には「私」を使いましょう。体育会系出身者や警察志望の受験生には「自分」という呼称を使う人もいますが、偏見をもって見られたくなければ「私」にしましょう。ていねいな表現のつもりで「僕」を使う人もいますが、これは幼さを強調するだけです。また、「〜だけど」「〜なんて」「〜しちゃって」などの話し言葉も、気をつけないといつの間にか答案に紛れ込んでいることがあります。会話文以外ではこれらの話し言葉を使わないようにしてください。

市職員としてやってみたいこと

地方初級レベル
時間・字数不明

課題に端的に答えています。

私は市職員として、市政を直接体験してもらえる機会づくりをしたい。特に、小中学生に体験してもらいたいと思っている。

もっと具体的に父親の姿を描写し、その上で「住民に奉仕する、まさに公僕」というような形で、一般化して表現するとよいでしょう。

私の父は公務員である。日々、住民のために汗水を流して働いている。自分のために働くということはなく、いつも「地域のために働いているんだ」と語っていた。私はその父の姿を尊敬していた。

しかし、時々「公務員は気楽でいいいね」といわれることもある。父の仕事ぶりを知っている私は反感を抱くが、公務員の仕事をよく知らない人にしてみれば、地位も待遇も安定し、しかも楽な職業に映るようだ。

注目！

地方初級での出題です。一般的な「未来の自分中心型」の答案ですが、自分の父を「理想の公務員」とすることで間接的に「あるべき公務員像」を語っているといえるでしょう。個人的な経験から将来の自分の計画を具体的に述べることに成功しています。父から感じられる「理想の公務員像」をもう少し抽象的に表現するとさらによくなるでしょう。

提案

そんなことはないということを、ぜひ知ってもらいたい。だから、私は市政を直接見て体験できるような機会をつくりたいのだ。

具体的な提案で説得力があります。

たとえば、毎日の仕事ぶりを見学してもらったり、一部の業務に関しては実際に取り組んでもらう。その中で、公務員の仕事のあり方を感じてほしい。特に、小中学生は市政との関連性も直接は感じられず、公務員は遠い存在だろう。だから、社会科教育の一環として、ぜひ取り入れてもらいたいのだ。

公務員の仕事を知ってもらえれば、市役所や市職員に対する意識も変わってくるだろう。市民のために努力する公務員となって、その姿を多くの市民に見てもらえるようになりたい。

TIPS! ⑬

資格は武器になるか

自分の能力を証明するためにさまざまな資格を取っている人がいます。それ自体は悪いことではありませんし、自らの向上心をアピールするための材料にもなるのですが、それをあまりにも強調しすぎると、かえって逆効果になることもあります。「資格を持っている人はもういいから、仕事のできる人材が欲しい」と採用官が叫んだという笑えないジョークもあります。資格はあくまでも能力を証明するための補助的な手段。大事なのはあなた自身です。

いう話のために簡略化してもよいです。

模範文例

地方自治体における行政改革を推進するための地方公務員の使命について述べよ

地方上級レベル
時間・字数不明

地方公務員の使命を最初に定義しようとしているのは評価できますが、少し抽象的すぎる傾向があります。

地方自治体における行政改革を推進するためには、地方公務員は未来の自治体像に向けて積極的に努力することが必要だ。その努力を続けることこそ、地方公務員の使命である。

現在の地方自治体の財政は悪化している。しかも、地方分権や自治体合併、少子高齢化への対応など、なすべきことは多い。そのような中、強い自治体となるべく行政改革が各地で進められている。

しかし、改革を口で唱えるだけでは何の進展もない。実際に実行していくことが重要だ。そして、全員が一致団結しなくては、改革は実現しない。

ある大手銀行が改革を進めている。これまでのぬるま湯体質から脱却し、競争力のある銀行に生まれ変わろうとしているのだ。しかし、その改革を阻むのは、これまでの既得権益にしがみつき、何も自分からしようとしない、いわゆる「抵抗勢力」の行員だそうだ。何をしていいかわからず、とりあえずポーズだけは改革をしているよう

注目！

地方上級における出題です。「論文基本型」で作成されています。民間企業の例を挙げて「未来の自治体像に向けて積極的に努力すること」が「地方公務員の使命」であると結論づけています。民間と行政を対比させることで地方公務員の使命を浮き彫りにする手法です。ただ公務員の使命自体が少し長すぎる傾向があるので、もう少し簡潔に表現できるとさらによくなるでしょう。

具体的ですが「公務員の場合は？」と

に見せかけ、お茶を濁す。そして、自分で責任を取ろうとせず、何かにつけて人のせいにしている。これでは、銀行全体の改革が進むはずもない。

その銀行では、毎日の営業時間を延長することを検討していた。しかし、抵抗勢力からは、毎日の勘定を合わせるためには午後三時に閉店するしかないと反対された。ただ、ＡＴＭ内の勘定は毎週一回しか合わせていない。そのことを指摘されると、今度は警備会社との契約を持ち出し、契約があるから変えられないと主張し始めた。その契約を変えさえすれば何の問題もないのに、である。

この話は何もこの銀行だけではない。どのような組織においても、抵抗勢力はいる。変化を好まず、いままでのやり方に安住することを何より求める人は多い。

もっと具体的な方針が述べられるとさらによいでしょう。

しかし、地方自治体がそのようなことをしていては、いつか破綻してしまう。社会情勢の変化に対応し、財政状況も好転させなくてはならないのだ。だからこそ、地方公務員は、未来の自治体像という目標を定め、現状で変えるべきことは積極的に変えるよう、努力していかなくてはならない。

これからは、住民が自治体を選ぶ時代が来るかもしれない。魅力のない自治体にはだれも住みたがるはずがないからだ。住民に選んでもらえる自治体になるためにも、地方公務員は努力を続けなくてはならないのである。

TIPS! ⑭

字数制限の目安

公務員試験では明確な制限字数を設けていない場合も数多くあります。その場合は与えられたスペースの約8割を埋めるようにしてください。だからといって大きな字でスペースを埋めようとするのは論外。制限時間を10倍すると標準的な字数になりますので、その最低8割は書くようにしましょう。制限時間60分なら60×10×0.8＝480字以上、制限時間80分なら80×10×0.8＝640字が最低ラインです。

模範文例

権限と責任

地方上級レベル
90分・無制限

注目！

地方上級での出題、かつ「抽象問題」です。このような問題はいかに具体的に論述できるかがポイントになります。今回の答案は教員や住民データの例を挙げ、公務員の持つ権限と、それに伴う責任を具体的に論じています。あるべき公務員像を簡潔にまとめた一文が入るとさらによくなったでしょう。

具体例　その①

権限と責任の関係について簡潔にまとめられています。

地域の行政を運営していくことは、非常に大きな権限であるといえる。だからこそ、その裏には大きな責任が存在する。公務員はその責任を忘れず、権限を行使していかなければならない。

そもそも、公務員は地域のために奉仕する存在である。そのことを忘れ、権限を振るうことだけを目的とすることは許されない。

例えば、教員がそうだ。教員は子どもの教育に携わる重要な職業である。子どもの教育という大きな権限を持ち、その分、責任も重い。

しかし、その責任を忘れ、自分の思うがままに子どもを動かし、それで満足する者がいる。これでは、教師の果たすべき責任を果たしているとはいえない。特に最近では、教師によるセクシャル・ハラスメントも問題となり、その権限の濫用が問題となっている。

これは自治体職員も同じだ。例えば住民のプライバシーである戸籍謄本や住民票を

具体例　その②

取り扱う権限は絶大であり、悪用すれば大きな問題になる。

以前、ある市役所の職員が戸籍謄本を勝手に調べ、その情報を外部に漏らしていたことがあった。戸籍謄本には婚姻歴や血縁関係など、個人のプライバシーに関わることが多く記載されている。だからこそ戸籍謄本は重要な書類であり、パスポートの申請など、個人を証明することに用いられている。当然、そのような情報を勝手に盗み見、しかもそれを外部に漏らすようなことは許されない。

その職員は、個人情報にアクセスできる権限に優越感を感じ、アクセスできる自分に満足していたのかもしれない。しかし、その裏にある責任までには思いが届かなかったようだ。地域住民から見れば、許されざる行為である。

「では、どうしたらよいか？」という具体的な行動指針まで書けるとさらによくなるでしょう。

今後は住基ネットなどが整備され、個人情報の取り扱いはさらに厳重となる。その情報にアクセスできる権限を持つ反面、その情報を悪用してはならないという責任も重い。公務員が持つ権限はあくまでも住民のためであり、自分だけの特権ではないことを肝に銘じなくてはならない。そして、その責任の重さを常に感じ、業務を遂行していくべきだ。

地方自治体を取り巻く環境は日々変化している。そのような時だからこそ、公務員は初心を忘れず、住民への奉仕者としての任務を果たさなくてはならない。

Key Word

●セクシャル・ハラスメント　性的嫌がらせ。多くは男性が女性に対し、性的な話をしたり、体に触れたりなどの嫌がらせ行為をすること。

COLUMN

小論文の日頃の練習法

「小論文」の日頃の勉強は、以下の三つの柱から成り立っています。

1．情報のインプット（入力）
2．情報のアレンジメント（整理）
3．情報のアウトプット（出力）

つまり、

1．小論文の内容となる情報を収集し、
2．それを自分の知識として使えるよう整理し、
3．整理した自分の知識を使って、設問の要求にあわせて答案を作成すること

が、小論文の日頃のトレーニングなのです。

まず、書籍や新聞、インターネットで情報を集めましょう。（情報の集め方に関しては130ページのコラムを参照）その上で、それらを自分の知識として使えるように整理します。ポイントはその情報がどのような意味を持ち、それに対して自分がどう思うかをきちんと言葉にしておくことです。そして最後は、やはり小論文は「習うより慣れろ」です。実際に答案を作成し、それを信頼できる人に見てもらいましょう。結局それが小論文上達の一番の近道なのです。

第5日

三本目の柱

「社会状況を説明する」

本日のポイント

第5日「社会状況を説明する」

今日は「社会状況を説明する」小論文の答案例を勉強します。このページは次のような心構えで読んでください。

【地方初級を受験する人】
そう数は多くありませんが、出題される可能性は十分あります。第6日と合わせて通読して、どのようなことが問題となっているかを把握しましょう。

【地方上・中級を受験する人】
第6日と合わせて、ここからおもに出題されますので通読の上、類題にも挑戦しておきましょう。またサポートサイト（www.ronbunonline.com）などを活用し、さらなる知識の吸収に努めましょう。

【国家一般〈高卒〉を受験する人】
ほとんど出題されることはありませんが、面接などで尋ねられる可能性がありますので、第6日と合わせて社会状況を知るために通読しておいてください。

【国家一般〈大卒〉を受験する人】
地方上級と同じく、メインの出題領域になりますので、通読の上、類題にも挑戦してください。

「何を」「どう書くか」のまとめ

●論文型小論文で書くべきことは「説明」＋「提案」！

●一般的な課題の時は「説明」と「提案」をバランスよく述べる「論文基本型」で！

●説明要求語句（38ページ）が数多く使われた設問の時は「説明中心型」で！

●「説明」は「事実報告」＋「意味づけ」で成り立つ！

●「事実報告」とは「事件などの具体的事実」とそれに対する「代表的な他者の意見」を挙げること！

●「意味づけ」とは、報告された事実に関する自分の解釈（原因分析・今後の予想・他者の意見に対する批評）を述べること！

●どんなテーマも設問の要求に沿って回答することが一番大事。まず設問にきちんと応えることを意識しよう！　迷った時は「論文基本型」で！

くわしい書き方はここを参照！

「論文基本型」……………36ページ
「説明中心型」……………38ページ
「提案中心型」……………40ページ

過去問の類題に挑戦しよう！

No.44「自然と人間」（地方初級・60分・８００字　※時間と字数は参考）

No.111「循環型社会について」（地方上級・90分・１０００字）

No.115「高齢化や過疎化の進展が地域社会に及ぼす影響とその対応策について」（地方上級・75分・１０００字）

No.122「ＩＴ革命による功罪」（地方上級・90分・１０００字）

No.153「これまで以上に地方分権を進めることは必要であるか。あなた自身の考えを述べなさい」（地方上級・60分・８００字　※時間と字数は参考）

※類題に挑戦するときは制限時間と字数を守りましょう。また、書けたら信頼できる人に見てもらいましょう（類題については巻末の表も参考にしてください）。

市民の目から見た行政

「作文」「論文」どちらの型でも答案が作成できることがあります

地方初級レベル
時間・字数不明

課題に端的に答えます。

市民が行政に望むこと、それは市民の立場に立った活動を行政が行うことである。

現在の法治主義の体制では、行政の仕事は法律を執行・実施することである。しかし、立法機関で制定された法律は、想定されるあらゆる場合を書き込むわけにいかないため、細かいところまで規定されていないことが多い。そのため、行政が必要な細則をつけ加えて、現実に適用できるようにしている。そうなると、市民はじかに接する機会のある地方行政に、自分たちの生活がよりよくなるような条例の制定を期待する。

現状の説明

NOTE

●「論文基本」型の答案として見た場合、この答案に欠けているものを考えてみてください。
●「作文基本」型でこの答案を作成するとしたらあなたはどんな経験をもとに書くか考えてみましょう。

●これだけは押さえよう!

《行政の役割》
普段から行政は限られた社会資源を最大限に活用し、住民に

具体的事例で説得力があります。

例えば、私の住むとなりの町ではバブル以降マンションの建設を規制するため、「美の条例」を作ったという。この条例制定に関しては国との間でかなりの摩擦があったそうだ。国の言い分としては建築基準法では規制されていないのに、地方行政が条例で勝手に規制するのはよくない、というのである。しかし、町側では規制しないと水の供給が追いつかないなど市民に影響が出ることを懸念し、条例を制定した。

少し極端な印象を与えています。また「市民の立場に立った活動」とはどのような活動か、具体的に書きましょう。

このように、国との摩擦があったとしても、地方行政は市民のための行政であるので、市民の立場に立った活動を行うべきである。

そのためにも、地方行政は市民の要望や意見を知るために、つねに市民の声に耳を傾ける対策が必要である。

公平なサービスを提供することが必要である。法や条例に基づき、住民の満足度を向上することが役割であるともいえる。しかし、法や条例では解釈しきれないことが日々起きていることも事実である。大規模災害、景観保護、住民間のトラブル、犯罪など、対応すべき分野は多い。法や条例をもとにして、いかに現実に対応していくかが行政の役割であるともいえるだろう。また、行政だけでは対応しきれないことについては民間企業やNPOと積極的に連携することも、今後必要となるだろう。適材適所の役割分担という能力も求められ、これまでの自治体から脱却しなければならない。

Key Word

●バブル
バブル景気のように景気を説明する語。適正価格を大幅に超える資産価格が形成される状態。日本ではプラザ合意以降の土地、株価の急騰がこれにあたる。

添削

市民の目から見た行政

ここがポイント！

地方初級で出題された課題です。地方初級での出題ということですので「作文基本型」でも書けますが、テーマが社会的事象について論じることを要求していますので「論文基本型」でも書くことができるでしょう。なお、この答案例では「論文基本型」で書かれています。

設問から、プロット的には何も特別なことは要求されていませんので、29ページの「作文基本型」か、37ページの「論文基本型」小論文の書き方に沿って書くようにします。

どちらの書き方を選択するにせよ、「市民の目から見た」という設問にかなう内容にしなければなりません。

こうすればもっとよくなる！

「論文基本型」の答案として今回の答案を見ると、すでにある程度のレベルにあるといえるでしょう。

問題点を挙げるとすれば、「国との摩擦があったとしても、地方行政は（中略）市民の立場に立った活動を行うべきである」という最終段落の結論が少し極端な印象を与えること、また「市民のための行政」を行うための具体的方策がもう少しくわしく書かれるとさらによくなったでしょう。

また、今回は修正答案を「論文基本型」のまま提示しますが、この課題は「作文基本型」で書くこともできます。つまり市民の側から行政の仕事を見た具体的な経験を書き、今度は行政側で自分が働く側になった場合、どのような点に気をつけて働きたいかを書くのです。各自どのような答案になるか考えてみましょう。

修正答案

市民の目から見た行政

市民が行政に望むこと、それは市民の立場に立った活動を行政が行うことである。

現在の法治主義の体制では、行政の仕事は法律を執行・実施することである。しかし、立法機関で制定された法律は、想定されるあらゆる場合を書き込むわけにいかないため、細かいところまで規定されていないことが多い。そのため、行政が必要な細則をつけ加えて、現実に適用できるようにしている。そうなると、市民はじかに接する機会のある地方行政に、自分たちの生活がよりよくなるような条例の制定を期待する。

例えば、私の住むとなりの町ではバブル以降マンションの建設を規制するため、「美の条例」を作ったという。この条例制定に関しては国との間でかなりの摩擦があったそうだ。国の言い分としては建築基準法では規制されていないのに、地方行政が条例で勝手に規制するのはよくない、というのである。しかし、町側では規制しないと水の供給が追いつかないなど市民に影響が出ることを懸念し、条例を制定した。

このように、国の政策だけでは市民の期待に応えられないときは、地方行政は市民の利益を優先した施策をとるべきだろう。国との間に摩擦が生じたときは、国と市民の間に立って納得のゆくまで交渉し、公聴会や住民投票などを利用して市民の要望を最大限に取り入れなくてはならない。地域の現状を正確に把握し、市民の要望をきめ細やかに聞き取り、国と粘り強く交渉し、そしてすばやく施策に反映していく。そうすれば、市民から見て信頼のできる自治体になるだろう。

※赤字の部分はポイントとなる修正箇所です。
添削がどのように反映されているか考えながら読みましょう。

答案例

行政のデジタル化が求められる背景を説明し、今後求められる取り組みについて、あなたの考えを述べよ

具体的な事実をもとに「説明中心型」の答案を作成しましょう

地方上級レベル
90分・1000字程度

よく背景説明ができています

行政のデジタル化が求められる背景には、現代社会が直面している複数の課題がある。

その一つは、社会全体の高齢化である。高齢化が進む中で、地方に住む高齢者の割合が増加し、特に地域の過疎化が深刻化している。過疎地域では、若年層の人口が減少し、それに伴い地方自治体の税収も減少している。

加えて、働き方や生活環境の多様化もデジタル化の必要性を高めている。リモートワークやフレックスタイム制の普及により、住民が行政にアクセスする時間や場所は大きく変化している。

さらに、パンデミックのような未経験かつ予想外の出来事が発生した際には、迅速かつ柔軟な対応が求められる。しかし、旧態依然としたシステムや手続きでは、こうした緊急事態において十分なサービスを提供することが困難である。

行政のデジタル化が促進されると、さまざまな課題解決が期待できる。

NOTE

●あるテーマに関する「説明」はどのような点に気を付けて書けばよいか考えてみましょう。

●この答案をさらによくするためにどこを具体化したらよいか考えながら読みましょう。

これだけは押さえよう！

《行政のデジタル化》

行政のデジタル化とは、政府や地方自治体が提供するサービ

具体的な取り組み内容を
もう少しくわしく述べましょう

少しくわしすぎる印象です 圧縮しましょう

たとえば、行政側にとって業務効率の大幅な向上が望める。デジタルツールを活用することで、従来のアナログ処理が自動化され、書類の電子化やデータの共有が迅速に行えるようになる。これにより、職員の作業負担が軽減され、業務のスピードアップが期待できる。また、住民にとっては、オンラインで行政サービスを利用できるため、窓口に足を運ぶ必要がなくなり、利便性が向上する。さらに、デジタル化により情報の公開や共有が容易になり、行政の透明性や公正性の向上にもつながるだろう。

一方で、デジタル化にはいくつかの懸念点もある。サイバーセキュリティのリスクがその一例だ。行政が扱う個人情報や機密データがデジタル化されることで、ハッキングや情報漏洩のリスクが高まる。また、デジタル格差の問題もある。特に高齢者やITリテラシーの低い住民が、オンラインでの行政サービス利用に困難を感じることが予想される。これが要因となり社会的な不公平を生む可能性があることは否めない。

行政のデジタル化を推進するためには、懸念点を解消しつつ取り組むべきことがいくつかある。まず、最新の暗号化技術を導入し、システムの監視や更新を行うなど、サイバーセキュリティの強化が必要である。また、デジタル格差の解消も重要であり、ITリテラシーが低い層へのサポートや教育、無料Wi-Fiスポットの設置、オンライン手続きのマニュアル作成などが求められる。

具体的に

具体的に

スや業務をデジタル技術を活用して効率化・改善することを指します。これにより、住民はオンラインで手続きや申請ができるようになり、窓口での待ち時間が減少します。また、データの一元管理や分析が可能となり、政策の立案や実施が迅速かつ的確に行えるようになります。デジタル化は、透明性の向上やコスト削減にも寄与します。

Key Word

●生成AI
既存のデータから新しいコンテンツを生成するAI技術。

●リモートワーク
リモートワークとは、インターネットを利用して自宅やカフェなどオフィス以外の場所で仕事をすること。これにより、通勤時間の削減や柔軟な働き方が可能となり、ワークライフバランスの向上が期待される。

行政のデジタル化が求められる背景を説明し、今後求められる取り組みについて、あなたの考えを述べよ

ここがポイント！

地方上級の課題です。「背景」という説明要求語句が設問に含まれていますので、「説明」に重点を置いた「説明中心」型で書くのが望ましいでしょう。

また、この課題は「今後求められる取り組み」について意見を書くことを要求していますので「設問応答型」として答案を作成してください。

「行政のデジタル化」が求められる状況に関して、どのような背景が考えられるか、そしてそれらに対して今後行政側はどのような取り組みを行うべきか、あなたの考えを述べましょう。

こうすればもっとよくなる！

今回の答案の「説明」はかなりくわしく、「行政のデジタル化」が求められた「背景」はよく伝わってきます。ただ、「今後求められる取り組み」の部分が量的に少なく、もうすこしボリュームを増やしてもよかったでしょう。

そのために、中段の行政のデジタル化によるメリットとデメリットの説明部分を圧縮し、具体的な今後の取り組みに字数を割きましょう。

第6・7段落の具体例をカットし、かわりに第8段落の「サイバーセキュリティの強化」と「デジタル格差の解消」それぞれの取り組み内容を、「たとえば」という接続詞を用いて具体化してください。

修正答案

行政のデジタル化が求められる背景を説明し、今後求められる取り組みについて、あなたの考えを述べよ

行政のデジタル化が求められる背景には、現代社会が直面している複数の課題がある。

その一つは、社会全体の高齢化である。高齢化が進む中で、地方に住む高齢者の割合が増加し、特に地域の過疎化が深刻化している。過疎地域では、若年層の人口が減少し、それに伴い地方自治体の税収も減少している。

加えて、働き方や生活環境の多様化もデジタル化の必要性を高めている。リモートワークやフレックスタイム制の普及により、住民が行政にアクセスする時間や場所は大きく変化している。

さらに、パンデミックのような未経験かつ予想外の出来事が発生した際には、迅速かつ柔軟な対応が求められる。しかし、旧態依然としたシステムや手続きでは、こうした緊急事態において十分なサービスを提供することが困難である。

行政のデジタル化は、業務の効率化や住民の利便性向上、透明性の強化といった利点が多い。

具体的には、業務の自動化により職員の負担が軽減され、オンラインでのサービス提供が可能になることで住民も便利になる。

しかし、一方でサイバーセキュリティのリスクやデジタル格差といった課題もある。個人情報の漏洩や高齢者がオンラインサービスを利用する際の困難が問題であり、これが社会的不公平を招く可能性もある。

では、行政のデジタル化に対して、今後求められる取り組みは何か。それは、これらの懸念に対して適切に対応し、そのメリットを最大化する取り組みである。

まず、サイバーセキュリティの強化である。データを高度なセキュリティ対策で保護するためには、最新の暗号化技術の導入や、定期的なシステムの監視・更新が必要だ。また、職員に対するセキュリティ教育や不正アクセスへの警戒心を高める教育も重要である。

次に、デジタル格差の解消である。ITリテラシーが低い層や低所得層、高齢者などがデジタル化から取り残されない環境を整備する必要がある。たとえば、オンライン手続きの分かりやすいマニュアルを作成し、サポートセンターを設置する。さらに、無料Wi-Fiスポットの設置や公共施設でのデジタル端末の利用、デジタルリテラシー教育の提供なども有効だろう。

このように、懸念点を解消しつつ、メリットを最大化する取り組みが行政のデジタル化には必要とされているのである。

※赤字の部分はポイントとなる修正箇所です。添削がどのように反映されているか考えながら読みましょう。

視点から述べられていないのが惜しまれます。

これからの高齢化社会における課題について

自分の経験も入れて「説明中心型」の答案を作成してみましょう

地方上級レベル
75分・800字

これからの高齢化社会における大きな問題の一つは、介護離職の問題である。

私の年上のいとこは、3年前に脳梗塞で倒れた伯母を介護するために離職した。伯父はすでに他界し、伯母は独り暮らしをしていたのだが、朝の散歩中に倒れ、そのまま要介護者となってしまったのだ。

いとこは独身で、伯母が倒れるまでは独り暮らしをしていたのだが、伯母の介護のために同居することとなった。当初はなんとか仕事と介護を両立しようと努力していたのだが、二つの大きな問題から離職せざるをえなかったそうだ。

一つめの問題は、いとこが勤める会社の無理解であった。いとこが実際に介護を始めると、生活は大きく変わってしまった。残業は難しくなり、通院や役所の手続きに有給休暇を取得することが多くなった。する

NOTE

●一見、よく書けた答案ですが、大きな問題があります。それは何でしょう？ もし自分が採点官だったらという視点で考えてみましょう。ヒントはこの課題が地方上級の問題であるという点です。

これだけは押さえよう！

《高齢化社会》
日本は世界でもっとも高齢化の進んだ社会である。しかし、

非常に具体的に経験が描かれていますが、社会的な

と会社は、そのことに対してあからさまな不満をみせたのだという。
二つめの問題は、伯父の親戚が伯母の介護はいとこがするべきだと主張したことだ。伯父の実家は農村地帯にあり、どちらかというと保守的な地域である。伯母を施設に預けることを考えた時期もあったが、伯父の親戚から「年寄った親を施設に預けるのは親不孝だ」といわれ、施設に預けるのはあきらめたそうだ。
私の母も時折手伝いに出向いてはいるものの、距離が離れていることもあり、今もいとこがほとんど独りで介護を行っている。先日、久しぶりに会ったいとこは、以前とはまったく変わってしまい、疲れ果てているように見えた。仮に介護が終わったとしても、再就職できる見通しも立たないため、このままでは共倒れになってしまうのではないか心配だ、と言っていた。
介護保険の支払い額を抑制するために、国の基本方針は在宅介護の推進である。しかし、そのためにいとこのような介護離職者を増やすわけにはいかない。今後は介護と仕事の両立を可能とする支援策を行政と企業が提供していくべきだ。

この部分をもっとくわしく説明しましょう。

その現状に対策が追いつかない。介護保険制度がスタートし、高齢者介護は家族だけではなく社会全体でするもの、という意識改革がなされたが、要介護認定の難しさや介護報酬と家事報酬との価格差など、未だに問題が残っている。また、年金制度は既に破綻しているといわれ、今後のさらなる少子高齢化にいかに対応するかが問題となっている。さらに、今後労働力が減少することも問題視されており、年金受給開始年齢の変更に合わせ、定年制度の見直しや定年後の再雇用なども議論されている。自治体も高齢化に対応できる仕組み作りと社会の活性化の役割を求められている。

Key Word

●**介護**（介護保険制度）
介護のすべてを家族だけが負担するのではなく、社会全体で支えることを目的として導入された制度。

添削

これからの高齢化社会における課題について

ここがポイント！

地方上級で出題された課題です。「課題」という説明要求語句が設問に含まれていますので「説明中心型」で書くのがよいでしょう。原則的には39ページの「説明中心型」小論文の書き方に沿って書くようにします。

まず「高齢化社会における課題」のうち、何が一番の課題なのかを確定し、それについて「説明」を行います。今回は「高齢化社会における課題」を自分自身で経験しているようですので、自分の経験も述べつつ説明を行うとよいでしょう。十分に説明を行った後、自分の意見を述べるようにします。その際は具体的な提案を行うようにしてください。

こうすればもっとよくなる！

現在の答案は自分の経験がかなりくわしく書かれており、その内容自体は非常によいのですが、それを社会的な観点にまで昇華できていないのが残念です。書き直す際は自分の経験が社会的に見るとどのようなことだったのかを明確に書くようにしましょう。

今回の経験からは、どのような社会的問題が見えてくるでしょう。例えば、どうしてこの人のいとこは離職せざるを得なかったのでしょう。また、どうして公的なサービスを利用できなかったのでしょうか。そしてどのようなシステムがあれば、この人のいとこは、仕事と介護を両立できたのでしょう。

このように考えることで個人的な経験を社会的な問題として論じることができます。そしてその上で具体的な提案を最後に行いましょう。そうすることでバランスのよい答案になります。

修正答案

これからの高齢化社会における課題について

　これからの高齢化社会における大きな問題の一つは、介護離職の問題である。

　これまで高齢者の介護は基本、家族が担当してきたが、それが可能だったのは、高齢者が要介護者になってから死亡までの時間が短く、家族も大人数だったからだ。しかし現在は介護期間が長くなる一方で、少子化で介護する側の人手が足りない。また社会にはいまだ「親の介護は親族がやるもの」という価値観が根強いため、働き盛りの現役世代が、親の介護のために離職を余儀なくされている。その数は、毎年10万人と言われ、大きな問題となっている。

　私のいとこも、伯母を介護するために離職してしまったひとりである。仕事との両立を図ったものの、勤務先には疎んじられ、またすでに亡くなった伯父の親戚から、施設に預けることを反対されて、離職を余儀なくされてしまったのだ。いとこは介護がいつまで続くか分からず、また介護が終わってから再就職できるのか見通しが立たないため、非常に不安だと言っていた。

　介護保険の支払い額を抑制するために、国の基本方針は在宅介護の推進である。しかし、そのためにいとこのような介護離職者を増やすわけにはいかない。今後は介護と仕事の両立を可能とする支援策を行政と企業が提供していくべきだ。

　まず企業には従業員が介護に携わることを前提にした制度設計が求められる。事情に合わせて柔軟に勤務できる体制を整えたり、いったん離職しても、再度の雇用を保障したりするなど、仕事と介護を両立できる仕組み作りをおこなうべきだ。

　そして行政は、このような企業の取り組みを応援するべきである。介護者支援策を整備した企業に、補助金を支給したり、介護サービスに関する情報を提供したりして、離職せずとも介護ができる可能性があることを周知徹底する。そうすることで介護離職を抑制し、仕事と介護を両立できる人を増やしていくべきである。

※赤字の部分はポイントとなる修正箇所です。
添削がどのように反映されているか考えながら読みましょう。

模範文例

多様な働き方の必要性が提唱されている背景をふまえ、職員はどのように仕事を進めていくべきか

地方上級レベル
90分・1200字程度

昨今、多様な働き方の必要性が提唱されている背景には、いくつかの要因がある。

まず、技術の進歩により、リモートワークやフレックス勤務が可能となり、従来のオフィス勤務にとらわれない働き方が広がっている。これにより、労働者は自分のライフスタイルに合わせた柔軟な働き方を選択できるようになった。

また、少子高齢化や労働力不足が進行する中で、多様な働き方を導入することで、より多くの人々が労働市場に参加できるようになることが期待されている。さらに、ワークライフバランスの重要性が認識されるようになり、仕事とプライベートの両立を図るための働き方改革が求められている。

そして、この流れを一気に加速したのが、コロナウイルスによるパンデミックである。パンデミックの影響で、多くの企業がリモートワークを導入せざるを得なくなり、従来の働き方に対する見直しが進んだ。これにより、リモートワークの利便性や効果が広く認識され、今後も継続的に多様な働き方が求められるようになったのだ。

一般的な背景が整理して述べられています

時事的背景を押さえてあります

背景説明

注目！

地方上級「説明中心型」で、なおかつ「設問応答型」の課題です。多様な働き方の必要性が提唱されている「背景」を説明した上で、「職員はどのように仕事を進めていくべきか」を述べましょう。今回の答案はその両者のバランスがよくとれています。最後に提案を実現するための留意事項が書かれているのが、説得力があります。

提案を実現する際に留意することが書いてあると実現性が増します

自治体業務と結びつけるのがポイントです

どう仕事を進めていくべき

では、このような状況をふまえ、自治体職員はどのように仕事を進めるべきか。まずは、リモートワークやフレックスタイム制、ワークシェアリングなどを積極的に導入すべきである。

リモートワークは在宅業務が可能になるため、育児や介護で外出ができない状況でも、働くことが可能になる。フレックスタイム制は子供の送り迎えを可能にするなど子育て世帯の助けになるだけでなく、ワークライフバランスの改善にもつながる。

ワークシェアリングは働く者同士で業務量を分け合うもので、働く時間を短縮可能にする。現在日本では、働き方やキャリアへの多様化へ柔軟に対応するため、多様就業型のワークシェアリングが注目されている。

このように、時間的な制限があり働くことが難しい職員への対応は、雇用の維持と業務意欲の安定にも効果が期待できる。職員の心身の安定は行政サービスの質の向上にもつながるだろう。

そして、このような取り組みを進めるために、職員のＩＴスキル向上と業務のデジタル化を推進するべきである。

多様な働き方を支えるのはＩＴシステムであり、それらを活用できる個人のスキルである。まずは職場のＤＸ化をすすめ、リモートであっても業務を遂行できる仕組みを整える。そのうえで職員に教育を行い、システムを十分活用し、柔軟に働けるよう支援を行うべきである。

これだけは押さえよう！

《働き方の多様化》

インターネットやクラウド技術、ＡＩの発展により、リモートワークやフリーランス、ギグエコノミーといった新しい働き方が普及した。また、グローバル化の進展により、異なる国や地域での仕事が容易になり、多様な働き方が求められるようになった。さらに、企業の競争力を高めるために、多様な働き方を取り入れることが重要視されている。柔軟な勤務時間や在宅勤務の導入は、従業員の満足度を高め、生産性を向上させる効果がある。また、ワークライフバランスを重視する社会的な風潮も、働き方の多様化を促進している。

模範文例

わが国は現在少子化という問題に直面している。この少子化の背景・原因・社会的影響に触れ、行政がどのような対応をすべきか述べよ

地方上級レベル
時間・字数不明

少子化の社会的影響

一人の女性が生涯に産む子供の数は年々減り、少子化に歯止めがかからない状況が続いている。このまま少子化がすすめば、当然のことながら社会の高齢化はすすむ。そうなると少ない生産人口で多くの高齢者を支えなければならなくなることが予想され、現在わが国は抜本的な社会保障制度の見直しが迫られている。

少子化の背景・原因

少子化が進む背景のひとつには、女性の高学歴化や社会進出がある。結婚後も仕事を続け、男性と同様の仕事をこなし、管理職に就く女性も珍しくない。しかし、出産とそれに続く育児というブランクは、キャリアを積んだ女性にとって深刻な問題となる。出産を終えて早々に復職しても育児にとられる時間は多大なものであり、効率の下がった社員を職場は歓迎しない。また、保育設備も十分ではなく、保育園に入れない子供がたくさんいる状況では近くに頼れる

注目！

地方上級の課題です。設問が「背景」「原因」「社会的影響」を説明せよと要求していますので、これらの要求に応える形で答案を作成しなければなりません。この答案はよく見ると、これらの条件をクリアしているのですが、それがよくわかる形にはなっていません。設問の中の言葉を使って、要求に応えているのがはっきりとわかるように答案作成するべきでしょう。

行政の対応

祖父母が住んでいない限り、女性は仕事に打ち込むことができない。

　このため、女性は出産をためらう。子供を産みたいと思っても、出産後に安心して育てられる環境が整っていないのである。

　外資系の金融機関に勤める私の姉もそのために出産をあきらめた。現在彼女はそのことをひどく後悔しており、もし出産後の環境さえ整うのであれば、高齢出産も辞さないといっている。それくらい子供を産みたいと思っている女性の気持ちには強いものがあるのである。


具体的でよいですが、特殊な例を一般化しすぎている印象を与える可能性があります。


　少子化をくい止めるためには、女性が安心して出産できる環境を作ることが必要である。保育施設を増やし、待機児童をなくすことは早急な課題である。さらに、企業が保育設備を整えるよう援助することや男性の育児休暇取得を促進することも行政側の仕事として望まれる。

　女性の子供を産みたいという気持ちと、働きたいという気持ちの両方を満たすことが重要なのである。そしてそれをもっとも効率よく実現できるのは行政をおいてほかにはないのである。

これだけは押さえよう！

《少子化》

女性が生涯に産む子供の数を出生率と呼び、第二次ベビーブーム以降一貫して減り続けている。少子化が進むことで相対的に高齢化も進み、社会の活力が失われることが指摘されている。ただ、少子化そのものが社会の活力低下につながらないという意見もある。女性が子供を産まなくなった原因として、女性の社会進出や夫婦のあり方の多様化などが挙げられる。しかし、女性が社会進出することそのものが問題ではなく、子供を生んで働くというスタイルを取れないという制度的問題が大きい。これからは、男女が共同で育児にあたれるよう、産休・育休の制度をさらに充実させる必要がある。また、託児所や保育園などの公的な支援も必要となるだろう。

ますが、もう少し簡潔にしたほうがよいでしょう。

模範文例

ボランティア活動の意義と行政の役割について

地方初級レベル
時間・字数不明

注目!

地方初級の課題です。まずボランティア活動の意義を簡潔に述べた上で、その意義をくわしく「説明」し、それをふまえて行政の役割を「提案」しましょう。今回の答案はさまざまなボランティアの例を挙げ、事例をくわしく説明しています。欲をいえばもうすこしくわしい「提案」を行えるとよかったかもしれません。

ボランティアの「意義」を尋ねられていますから「意義」という言葉を使ってこの部分を書きましょう。

ボランティア活動は、行政の目の届かないところでもきめ細かく活動することができる。行政はボランティア活動のメリットを尊重し、ボランティア活動と連携していくべきである。

阪神大震災の復興には、多くのボランティアが活躍したと聞いた。本来、町の復興の中心となるのは行政である。しかし、阪神大震災の時は、その行政の仕事に携わる人たちが被災者となり、行政側は十分な活動は行えなかったという。

また、行政は平等と合法性を基準として物事を進めるため、突発的な事態に対して動きにくい面もある。仮に行政の機能が十分に発揮されたとしても、細かい配慮や迅速さという点を考えると、災害発生時のボランティアへの期待は今後も高まるであろう。

活躍領域　その①

また災害時だけでなく、高齢者や障害者への援助は、今後はボランティア活動の協力なしには円滑に運営していくことは難しいだろう。公的なサービスは以前より

活躍領域　その②

ボランティアで活躍できる領域をたいへんくわしく書いてい

も充実しつつあるが、それでもなお手の届かない場所はある。例えば、訪問介護のうち家事援助は報酬単価が低く、採算のとれないことも多い。このような状況であれば、民間介護サービスも手を出さないだろう。こういった問題点は早期に制度改正などで対応すべきであろうが、制度改正が終わるまではボランティアに委託することもできるだろう。

活躍領域　その③

また、教育においてもボランティアの力を借りることが今後重要になる。少人数クラス編成や習熟度別授業など、教育にはこれまで以上に人的資源が必要だ。しかし、急激に教員の数を増やすわけにもいかない。そのような時にボランティアの力を借り、教育内容の充実を図るのだ。教育に力を入れることで、今後の地域を背負う人材を育てることができるだろう。

この部分をもう少しくわしく書きましょう。そうすることで「行政の役割」がさらにはっきりします。

どのような活動にせよ、スムーズな連携のためには行政とボランティアの間に信頼関係が必要である。そのためにも、行政は個々のボランティア団体の活動内容をきちんと把握しなくてはならない。また、ボランティアの一定の質を保つためにも、団体同士や行政の間に交流の場を設けることが必要だ。そしてなにより、行政とボランティアが対等な立場でパートナーシップを結ぶことが必要であろう。

これだけは押さえよう！

《ボランティア》

社会や地域のニーズに応えるため、自発的に取り組み、報酬を基本的に求めない。それがボランティアである。大規模災害におけるボランティアの活躍は、国や自治体の出足の遅さをカバーする活躍を見せた。行政の側にできることには限りがある。行政のできないことをカバーし、住民に最適なサービスを提供できるようにするため、自治体とボランティアとが連携する必要がある。行政の持つ資金や権力と、ボランティアがもつきめの細かさや自由度の高さを相互に補完しあい、さまざまな分野で相乗効果をあげることが求められる。教育、福祉などの分野では特にその効果を活かしやすく、今後の地域社会に欠かせない存在となるだろう。

模範文例

地球環境悪化について具体例を挙げて説明し、その解決に向けて行政のとるべき方策について述べよ

地方上級レベル
90分・1000字

注目！

地方上級、「説明中心型」、「設問応答型」の課題です。設問の要求どおり具体例を挙げて地球環境悪化について説明し、その上で、行政のとるべき方策を述べましょう。今回の答案は具体例として地球温暖化問題を取り上げています。目新しさはないかもしれませんが、堅実な例の取り上げ方といえるでしょう。

これだけは押さえよう！

《地球環境》
温暖化ガスの削減など、一国だけでは効果を上げない取り組みについて、国際的な取り組み

地球温暖化のシステム説明

大量生産と大量消費を土台として、我々の生活は発展してきた。経済の発展とともに人口は増え、ますます資源を消費し、自然に手を加えざるを得なくなった。その結果、地球環境は悪化し、様々な問題が生じてきた。例えば、地球温暖化問題である。

具体例はもっと簡潔に挙げてもよいでしょう。

地球温暖化とは、人間の活動が活発になるにつれて温室効果ガスが大気中に大量に放出され、地球全体の平均気温が上昇する現象である。

温室効果ガスには、二酸化炭素やメタン、フロンガスなどが含まれる。冷蔵庫やエアコンに使われていたフロンガスについては代替物への移行が可能であったため、その排出量は抑制された。しかし、石油・石炭などの化石燃料を使用によって生じる二酸化炭素には、いまのところ有力な代替物がない。このため、いかにその排出量を抑制するかが課題となっている。

地球温暖化が進めば、海水面が上昇したり、異常気象が頻発したりする恐れがある。また、植物の絶滅や伝染病危険地帯の増加、光化学スモッグなどの大気汚染の拡大な

具体的な提案で説得力があります。

ども懸念されている。

ここから「行政のとるべき方策」です。このように「予告文」を使うと効果的です。

では、地球温暖化を防止するために、行政はどのような方策を取るべきだろうか。国家規模では「京都議定書」による国家間の二酸化炭素排出規制がすでに行われている。しかしそれは国家規模での話であり、地方自治体には、その規模に合わせた対策がとられる必要がある。

では地方自治体に可能な二酸化炭素排出抑制策とはどのようなものであろうか。それは二酸化炭素排出量の抑制が、住民や企業にとってメリットになるような援助である。具体的には、①省エネルギー住宅の建築に低金利での資金貸付をする、②今後普及が見込まれる燃料電池車を後押しするため、例えば、水素の供給設備をガソリンスタンドに併設するよう助成金を出す、③ビルの屋上の緑地化に資金援助を行い、二酸化炭素の吸収を進める、といった政策が挙げられる。

ナンバリング（いくつかある項目に番号を与えて解説すること）を使ってわかりやすく述べられています。

こうした政策をすすめた上で、二酸化炭素の排出量に応じて事業者などに課税することも有効であろう。

環境問題の解決を個人や企業の自主規制に頼ることは非常に難しい。このため、地方自治体がイニシアチブをとり、まとめ役となることが必要である。こうした試みの積み重ねが地球環境の保全につながるのである。

が始められている。京都議定書によって各国の二酸化炭素削減量も義務づけられた。しかし、先進国の利益が減ることや、発展途上国の発展を阻害することなどから反対論も大きい。そのような中で民間企業は燃料電池やエコ発電などでしのぎを削り、石油や原子力だけに頼らないエネルギー源の確保を目指している。また、国内でも法が整備され、環境保護のための政策が行われつつある。ただ、地球環境保護には資金が必要であり、民間企業の取り組みだけでは限界がある。さらに政府自治体が率先して取り組まねばならない。

Key Word

●燃料電池
水素と酸素を化学反応させて電気と熱を作り出す装置。いわゆる蓄電池とは異なる。水しか排出しないという特徴を持つ。

リット”という言葉を使って書いたほうがよいでしょう。

模範文例

都市化の進展とその問題点

地方上級レベル
80分・600～1000字

都市化が進むことによって、さまざまなメリットが生み出されてきた。しかし、その反面、デメリットも数多く存在する。

都市化とは、社会基盤が整備され、便利さが高まることだ。（メリット①）ガスや水道、電気などのライフラインが安定して供給されることで、安心して生活できる。（メリット②）交通機関の発達や道路の整備などにより、移動も容易になる。（メリット③）さまざまなサービスが提供され、暮らしも楽になる。（メリット④）このように、「便利さ」が都市化におけるキーワードとなる。

しかし、便利さを追い求めることにより、問題も目立ってきた。交通機関の発達は、渋滞や混雑を生み出した。（デメリット①）遠くからでも短時間で移動できるため、交通機関を利用する人が増えたからだ。

サービスの提供が多様化するにつれ、そのサービスに依存しなければ暮らせなくなった。（デメリット②）ライフラインが一度寸断されれば、その復旧を待たねばならない。つまり、

注目！

地方上級の課題です。「問題点」という説明要求語句が設問に含まれていますので、「説明中心型」で答案を作成しましょう。この答案では「便利さ」と「人間関係」をキーワードに都市化の問題を説明しています。また「人間関係の構築」という「提案」を行い、それを推進するのが行政の役割と明確に述べているのは評価できます。

具体的な提案　　この部分は“メリット”“デメ

何かに依存しなければ生活できなくなってしまったのだ。

また、都市化における大きな問題として、人間関係の希薄化がある（デメリット③）。隣に住んでいる住人がだれかわからず、自分の暮らしも人に知られたくない。これは、サービスを受けることで地域の連帯をつくる必要がなくなった弊害であるともいえる。最近では性犯罪などにつながるという悪影響も現れてきた。

今後、このような都市化の問題点を解消していくためには、特に人間関係の構築が重要となる。それが都市化の問題点をすべて解消してはくれなくとも、いざというときのために役立つだろう。

たとえば、近所の人と通勤時間を合わせ、一台の車で何人かが一緒に通勤すれば、交通渋滞の緩和につながる。また、防犯体制についても、不審者を発見しやすくなるだろう。一人暮らしの高齢者がいれば、孤独死のような最悪の事態も防げる。

このように、都市化による問題は、人間関係の構築によって少しずつでも解決できる。都市化のメリットを十分に享受しつつ、同時に発生する問題点を解消していくことが、今後、都市に住む住民のあり方だろう。そしてそのような動きを促進させるのが行政の仕事となるであろう。


これだけは押さえよう！

《都市生活と環境》

都市に人口が集中することにより、住環境の悪化や社会的コストの上昇を生む。日本の大都市圏の地価は地方都市などに比べて非常に高く、それが人口のドーナツ化を生んだ。また、自然環境の減少なども招いている。上下水道などのライフライン、消防や警察などの安全保障などもコストが高くなり、居住者の負担も大きい。現在では都市の再開発も行われているが、今後は再開発が都市に与える影響などをよく吟味しなくてはならない。住民のための再開発になるよう、政府自治体の取り組みも必要だ。自治体によってはマンションの建設規制や景観条例などを制定し、都市の無秩序な開発を食い止めようとする動きもある。

模範文例

現在さまざまな分野で「多様性」の価値が高まっているが、「多様性」「画一」「発展」をキーワードにして、現代科学技術文明の現状と未来について論ぜよ

地方上級レベル
90分・1200字

注目！

地方上級、「説明中心型」で、「設問応答型」の課題です。キーワードを三つ使うことを要求されていますので、それらの条件を満たしつつ、答案を作成しましょう。「科学技術」という非常に意味の広い言葉がテーマになっていますので、論じやすいように具体例を挙げるとよいでしょう。今回の答案では「遺伝子操作技術」を例として挙げています。

「現状」説明

論述内容をここでしぼり込みます。

現代の科学技術はこれまでにないほど発展し、我々の生活そのものを変える力を持っている。その一つに、遺伝子操作技術がある。食料生産にも広く用いられているが、何より医学の面においての期待が高い。

今後、遺伝子操作技術をさらに**発展**させるためには、何より人間の**多様性**を保障できる体制が整備されていなくてはならない。それが人間の理想的なあり方だからだ。

遺伝子操作技術により、先天的な異常を持った子供の遺伝子を操作して、異常が発現しないようにすることもできるようになるだろう。また、難病といわれ、治療法が存在しない病気についても、治療の方法が見つかるかもしれない。これまでの医学では不可能だったことが、これからは可能になるのだ。それは医学の勝利ともいえる。

しかし、すべての病気や異常を治せることが、人間の差別につながる可能性もある。胎児の段階の診断で異常が見つからなかったものの、出生時に異常が見つかる可能性

「未来」予測

もある。医学の進歩によって、おそらくそのような異常を持った子供の数は減るであろう。その時、異常を持った子供の権利が保障されるかどうかはわからない。むしろ、少数者の選別につながり、差別を受ける可能性もあるのだ。

また、遺伝子治療が可能になるとはいえ、実際にその治療を選べばおそらく莫大な金額の治療費がかかるであろう。そうなると、富めるものだけが治療を受け、貧しいものは治療を受けられなくなることも考えられる。日本は世界でも珍しい国民皆保険制度を実現し、誰もが安価に治療を受けられる体制が整っている。この体制が崩れることもあるかもしれない。

病気はすべて治すもの、という画一的な発想は、治すことができない者への差別につながりかねない。科学技術がこれまで以上に発展するのであれば、そこに「差別」が生まれることのないような、そして人間の多様性が保障されるような体制づくりが必要だ。研究や治療のガイドラインづくり、法整備など、国や自治体の責任も重い。今後の科学技術の発展の速度に対応できるだけの体制づくりが、国や自治体にも必要となるだろう。

これだけは押さえよう!

《科学技術》

近年のコンピュータの発展に伴って、科学技術はさらに発展を続けている。特に生命科学やナノテクノロジーの分野で新しい研究成果が報告されている。これまでの常識にとらわれない新しい成果が生まれれば、社会の状況を一変させる力も持つ。しかし、生命科学の分野では倫理的な問題が指摘されている。生物という種を人間が改造することの是非などである。また、科学技術の発展は自治体サービスのあり方を変える。情報技術の発展は電子自治体の到来を早めることになるだろう。また、ベンチャー企業の誘致・支援などにより、地域の活性化にも役立つ。また、産官学連携を推し進め、世界と競える環境作りも必要だろう。

COLUMN

情報をどう集めるか？

小論文の答案作成に必要な情報をどこで仕入れるか？

以前は、書籍で『現代用語の基礎知識』（自由国民社）『知恵蔵』（朝日新聞社）『イミダス』（集英社）などをキーワード集として購入できたのですが、現在は『現代用語の基礎知識』以外は、インターネット上での情報提供となっています（2019年7月現在）。今後はまずはインターネットで情報を検索することから始めるようにしましょう。

インターネットで情報を集める時にはちょっとしたコツがあります。手っ取り早くあるキーワードに関する情報を収集したい時はキーワードに「とは」をつけて検索してみて下さい。ほとんどの場合、そのキーワードを簡潔に説明したページがヒットするはずです。

そして志望先のWebサイトをくわしく見ておくのは当然のことです。重点政策は何か、どのような問題を抱え、どのようなことに力を注いでいるかを押さえておきましょう。

また忘れてはならないのは、インターネット上の情報は玉石混淆だということです。一つのサイトの主張を鵜呑みにせず、かならず何カ所か別のページを訪問し、複数の見解を押さえておきましょう。

新聞の場合は、全国紙をできれば複数紙目を通し（Web版も可）、地方職を希望する場合は、志望先の地方紙もチェックしておきましょう。最近ではほとんどの地方新聞がWebサイトを持っていますので、まずはそこから確認してください。

また、地方職を志望している場合は、各自治体の出している広報類も忘れずに読んでおきましょう。バックナンバーが各地の図書館、あるいはWebサイト上に公開されているはずです。

四本目の柱

「政策を提言する」

本日のポイント

第6日 「政策を提言する」

今日は「政策を提言する」小論文の答案例を勉強します。このページは次のような心構えで読んでください。

【地方初級を受験する人】

そう数は多くありませんが、出題される可能性は十分あります。第5日と合わせて通読して、どのようなことが問題となっているかを把握しましょう。

【地方上・中級を受験する人】

第5日と合わせて、ここからおもに出題されますので通読の上、類題にも挑戦しておきましょう。またサポートサイト（https://ronbunonline.com/koumuinsupport/パスワードは191ページを参照）などを活用し、さらなる知識の吸収に努めましょう。

【国家Ⅲ種を受験する人】

ほとんど出題されることはありませんが、面接などで尋ねられる可能性がありますので、第5日と合わせて社会状況を知るために通読しておいてください

【国家Ⅱ種を受験する人】

地方上級と同じく、メインの出題領域になりますので、通読の上、類題にも挑戦してください。

「何を」「どう書くか」のまとめ

- ●論文型小論文の基本型は「説明」＋「提案」！
- ●一般的な課題の時は「説明」と「提案」をバランスよく述べる「論文基本型」で！
- ●提案要求語句（40ページ）が数多く使われた設問の時は「提案中心型」で！
- ●提案を考える時は「5W2H」で！

「What（何をめざして）」
「When（いつまでに）」
「Where（どこの）」
「Who（だれが）」
「What（何を使って）」
「How（どう）」
「How much（いくらで）」やるか

●提案は理想論に走りすぎず現状に理解を示した上で、あくまでも現実的に！

●どんなテーマも設問の要求に対して回答することが一番大事。まず設問にきちんと応えることを意識しよう！　迷った時は「論文基本型」で！

くわしい書き方はここを参照！

「論文基本型」……………36ページ
「説明中心型」……………38ページ
「提案中心型」……………40ページ

過去問の類題に挑戦しよう！

No.62「まちの美化推進策」（地方初級・60分・800字
※時間と字数は参考）

No.91「私の考える国際交流促進策」（地方上級・90分・1000字　※時間と字数は参考）

No.93「過疎化対策について」（地方上級・90分・1600字）

No.99「生涯学習の現状と問題点に言及し、生涯学習を推進するに当たっての方法について、あなたの意見を述べなさい」（地方上級・90分・1000字
※時間と字数は参考）

No.118「ユニバーサルデザインにもとづいたまちづくりについて」（地方上級・90分・1000字）

※類題に挑戦するときは制限時間と字数を守りましょう。また、書けたら信頼できる人に見てもらいましょう（類題については巻末の表も参考にしてください）。

点から、一貫した説明をしましょう。

答案例

私たちの生活とゴミ

「論文基本型」は「説明」と「提案」をバランスよく書きましょう

地方初級レベル
時間・字数不明

私たちの生活とゴミは切り離すことはできない。人が消費活動を続けていく以上、ゴミを出すことは避けられないからだ。

ゴミ問題の深刻化にともなって、ゴミ袋の有料化や分別収集、リサイクル商品の開発や家電リサイクル法の成立などの対策が打ち出されているが、まだ十分とはいえない状況である。

なぜ、こんなに大量のゴミが出るのだろうか。電化製品について考えれば、次々と新商品が出されるためだ。高性能、多機能を求めて企業は商品を開発する。消費者は現在使っている製品がまだ使えるにもかかわらず、より新しい物を買い求める。修理をしようとし

NOTE

●ゴミ問題をはじめ環境問題を扱った課題は、一歩間違うと「環境を守れ→リサイクル」というありがちなパターンにおちいってしまいます。この答案をそのパターンから救うにはどうしたらよいか考えてみましょう。

●これだけは押さえよう!

《ゴミ問題》

ゴミを燃やす際に発生する有害物質の問題や、埋め立て地の

「私たちの生活」という視

提案部分をもう少し書き込みましょう。

たら「買い替えたほうが安い」といわれることはよくある話だ。こうして、ゴミが増えていくのである。

ペットボトル飲料にしても同様だ。毎日大量に消費されていながら、リサイクルのためにきちんとラベルをはがしたり、キャップを外したりする人はわずかしかいない。

では、ゴミを減らすためにはどうしたらいいのだろうか。企業は利益を考えて売れる製品を作らなければいけないし、消費が減ると景気がさらに悪くなってしまう。こうしたことについては、行政からの援助が必要だろう。そして、家庭から出るゴミを減らすためには、やはり私たち消費者が賢く買うしかない。無駄な買いものはせずに大事に使うことや、リサイクルへの意識を高めることが重要である。

少し結論がありきたりです。

もう一歩踏み込んだ結論にしましょう。

不足などは以前から指摘されてきた。近年ではダイオキシンの発生や資源の有効活用などもいわれ、ゴミの分別などの対策がさらに進められようとしている。資源リサイクル法も施行され、リサイクルを進める流れはさらに加速するだろう。また、ゴミ処理はかなりのコストがかかるため、民間委託などの方針をとる自治体もある。しかし、産業廃棄物の不法投棄の問題などから、民間に委託することを問題視する意見もある。さらにNIMBYと呼ばれる問題があり、例えばゴミ処理場などの建設では地域住民からの反発も強い。

Key Word

●NIMBY
Not In My BackYardの略。原発やゴミ焼却施設などは生活に必要だが、居住地の近くに建設されるのは困る、という考え方。

添削

私たちの生活とゴミ

ここがポイント！

地方初級で出題された課題です。106ページの実例と同じように地方初級での出題ということですので「作文基本型」でも書けますが、テーマが社会的事象について論じることを要求していますので「論文基本型」でも書くことができます。この例は「論文基本型」で書かれています。

「○○と△△」という二つの単語を並列させた形の課題ですので、「○○」に当たる「私たちの生活」に関する状況を説明した上で「△△」に当たる「ゴミ」に関する問題をどうしたらよいか提案します。

こうすればもっとよくなる！

「論文基本型」の答案として今回の答案を見ると、すこし「説明」に偏りすぎている印象を受けます。分量的に「提案」の部分が少ないのです。最終段落に書かれた提案をもう少し具体的に書きましょう。

また前半部分の記述は、「私たちの生活」においてゴミがどのように発生しているのかという一貫した視点で書かれるとさらによくなります。つまり、我々の生活がいかにゴミを出す仕組みになっているのかを、「我々」を主語に描き出すのです。その上で、我々自身がゴミ問題に対してできること、また行政がゴミ問題に対してできることを書くことで、説得力のある答案を作成することができるようになるでしょう。例えば、税制の面からリサイクルを促進させるといった行政が取り得る具体的な政策などを書いてみるのです。

修正答案

私たちの生活とゴミ

私たちの生活とゴミは切り離すことはできない。人が消費活動を続けていく以上、ゴミを出すことは避けられないからだ。

私たちはものを買い、消費する限りゴミを排出する。家電製品は修理するよりも買い換えるほうが安い。だから新しく家電製品を買い、古い製品はリサイクルに出す。買ったときの空き箱や梱包材もゴミとなる。ペットボトル飲料を買えばペットボトルがゴミになる。どんなものを買っても、どんなものを消費しても、どうしてもゴミが発生してしまうのだ。

では、ゴミを減らすためにはどうしたらいいのだろうか。まず、我々自身がゴミをなるべく出さない生活を心がけなくてはならない。例えば、最近では買い物の際、自分専用の買い物かごを持って買い物に行くことができるようになった。スーパーなども「マイバスケット」などと呼んでポイントサービスなどを実施している。このようなシステムはなるべく利用するべきだろう。また、ゴミは漫然と捨てず、リサイクル可能なものはできる限り分別し、リサイクル率を少しでも高める努力も必要だ。

また、企業もなるべくリサイクル可能な製品作りを心がけなくてはならない。そしてその動きを行政の側も支援していくべきだ。多少価格が高くなっても行政が率先してリサイクル可能な製品を購入したり、リサイクル可能な製品の税率を下げるなどすれば、コスト上昇分を少しでも抑えられるかもしれない。劇的な改善は無理であっても、ゴミを少しずつでも減らす努力こそが必要なのだ。

※赤字の部分はポイントとなる修正箇所です。添削がどのように反映されているか考えながら読みましょう。

地域、家庭、社会において、男女共同参画を実現する上で、行政はどのような役割を果たすべきか、あなたの考えを述べなさい

「提案中心型」は行政の側に立って現実的な「提案」を行いましょう

地方上級レベル　120分・800〜1200字

まず端的に結論を述べます。

男女共同参画社会実現のための行政の役割は、男女平等を支える社会的・経済的基盤を早急に作り出すことである。

現状の説明

現状では、男女共同参画社会の理念はまだ実現できていない。日本社会には、性別役割分担を是認する社会意識、社会システムが存在するからである。賃金労働を主に男性が担当する一方、家事労働を女性だけが担当するという極端な性別分業が行われている。このような社会では、女性の市場での評価は低く、賃金労働への動機を奪われる。他方で、男性は家事・育児などの人間的労働から締め出される。このようなシステムが存在する限り、単に法的に男女平等を保証するだけでは十分ではない。なぜなら、言葉だけ男女平等になっても、それを支える社会的・経済的基盤がないからである。

NOTE

●かなりレベルの高い答案です。ただ、複数の提案が提示されたため、それぞれの印象が薄くなってしまいました。三つの提案のうち一つを取り上げ、くわしく述べるとしたら、どのようにしたらよいでしょう。

これだけは押さえよう!

《男女共同参画社会》
男女が性別によって差別されることはないという考え方のも

ここから先が行政の役割だということがはっきりわかる形で書きましょう。

そのような基盤作りの施策として、女性の社会参画、男性の地域・家庭参画、男女平等教育の三点を考える。

役割その①

女性の社会参画のためには、性別役割分担を強化する税制・年金制度の改善、企業における性に基づく差別禁止の徹底化が必要である。

役割その②

男性の地域・家庭参画のためには、家事労働に積極的に関われる環境整備、例えば、男性も育児休暇を取れるような制度的な動機づけが必要であろう。そして、それらすべての根幹となるのは、ひとりひとりが男女平等意識を持つことである。

役割その③

それは、教育によって培われる。男女混合名簿の導入や教員の性別役割分担意識の是正など、教育現場の改革も急務である。

現在の日本の社会制度は、性別役割分担を維持・固定化してしまっている。行政がこのような機構を変え、同時に、男女平等教育を推進する。そうすれば、人々の意識も変わってくるだろう。行政が果敢にその役割を果たしていくことによって、男女共同参画社会は実現するのだ。

とに、女性が被る不利益を改善しようとする動きが続いてきた。まず、憲法にうたわれている平等を実現するために法が整備された。しかし、実際は法があっても見えない差別は残っている。特に、雇用問題においては問題が深刻であり、昇進・昇給の差別、産休・育休の整備の不足などが起きている。また、パート労働も形を変えた女性差別であるといえる。このような状況は少子化を進展させるという問題を生んでいる。そのため、諸外国などのように男女の権利を等しくする動きも始まっているほか、配偶者控除の廃止や第三号被保険者制度の見直しなど、働く女性にとって不利な制度が変えられつつある。

添削

地域、家庭、社会において、男女共同参画を実現する上で、行政はどのような役割を果たすべきか、あなたの考えを述べなさい

ここがポイント！

地方上級の課題です。直接的に「行政はどのような役割を果たすべきか」と「提案」を要求していますので、「提案」に重点を置いた「提案中心型」で書くのが望ましいでしょう。

設問は特別なプロットを要求していませんので、41ページの「提案中心型」の書き方で答案を作成しましょう。

「男女共同参画社会」を実現させるために具体的にはどのような方策が考えられるか、現状を正確に把握した上で、現実的な「提案」を行いましょう。

こうすればもっとよくなる！

今回の答案のレベルはかなり高く、「男女共同参画社会」の理念が現在どのような状態にあるかも的確に説明されています。またそれに対する「提案」も現実的で実現可能性も高いものです。

問題点を挙げるとすれば、「提案」が分量的に物足りないことでしょう。せっかく実現性の高い「提案」を行なったのですから、もう少しくわしく、具体的な行動計画まで提案しましょう。

例えば、男性が育児休暇を取るために行政側ができることは何でしょう？　また「教員の性別役割分担意識の是正」とは、どのような手順で行われるのでしょうか？　これらの疑問に答えられるような提案をすることで、答案はさらによくなります。

修正答案

地域、家庭、社会において、男女共同参画を実現する上で、行政はどのような役割を果たすべきか、あなたの考えを述べなさい

ある。

男女共同参画社会実現のための行政の役割は、男女平等を支える社会的・経済的基盤を早急に作り出すことである。

現状では、男女共同参画社会の理念はまだ実現できていない。日本社会には、性別役割分担を是認する社会意識、社会システムがいまだ存在するからである。賃金労働は男性、家事労働は女性という極端な性別分業が行われている。このような社会では、女性の労働は正当に評価されない。他方で、男性は家事・育児などの人間的労働から締め出される。このようなシステムが存在する限り、単に法的に男女平等を保証するだけでは十分ではないのだ。

今後、行政側が男女共同参画社会の実現のためにとることのできる施策としては、女性の社会参画の推進、男性の地域・家庭参画の推進、男女平等教育の実現、の三点が挙げられる。

まず女性の社会参画推進のためには、性別役割分担を強化する税制・年金制度の改善、企業における性に基づく差別禁止の徹底化が必要である。また男性の地域・家庭参画推進のためには、男性が家事労働に積極的に関われる環境整備、例えば、男性も育児休暇を取れるような制度的な動機付けが必要であろう。そして、それらすべての根幹となるのは、ひとりひとりが男女平等意識を持つための男女平等教育である。そのためにはカリキュラムに男女平等教育を取り入れるなどの教育制度の変革と同時に、教師自身の意識変革も必要だ。教員研修を重ねて実施したり、諸外国の制度を視察するなどして教師が身をもって男女平等教育を体験する場を作っていけば、自然と男女共同参画に対する意識も高まるはずだ。

現在の日本は性別役割分担が固定化している。行政がこのような機構を変え、同時に、男女平等教育を推進する。そうすれば、人々の意識も変わってくるだろう。行政が果敢にその役割を果たしていくことによって、男女共同参画社会は実現するのだ。

※赤字の部分はポイントとなる修正箇所です。添削がどのように反映されているか考えながら読みましょう。

答案例

高度通信社会を生きるために情報リテラシーを身につける必要があるといわれる。これらをふまえて、次の問いに答えよ。(1)「高度情報通信社会を生きるために身につけておくべき能力と心構え」について、メリット・デメリットの例を挙げながら述べよ　(2)行政機関が国民との間で情報の送り手あるいは受け手として活動する際に留意すべき点を挙げ、あなたの考えを述べよ

国家一般〈大卒〉レベル
時間・字数不明

我々が高度情報通信社会を生きるためには、情報の選別能力を身につける必要がある。そして、すべての情報を鵜呑みにしない心構えが必要だ。

高度情報通信社会においては、さまざまなメディアを活用して情報をやりとりすることが可能となる。旧来型の新聞・テレビから、ソーシャルメディアまでさまざまだ。情報のやりとりの手段が増えることで、いままでは情報を受け取るだけであった者も、手軽に情報を送り出せるようになった。その結果、これまでは誰かに頼らなければ情報を送り出せなかった人々も、情報を広めることが容易になっている。その分、情報の「質」も問題となっている。手軽に情報をやりとりできる分、その情報がいかなる質を持っているかどうかを確認する手段がないのだ。

例えば、デマがいままでよりも広まりやすくなっている。最近では銀行の経営状態に対する不安が広がり、ある地方銀行が倒産するのではないかというデマがソーシャルメディア上で流れた。実際、そのような危険性はなかったのにもかかわらず、

NOTE

●この答案の最大の問題点は何でしょうか？　もしあなたがこの問題の出題者だったら、という観点で考えてみましょう。ヒントはこの設問は非常に細かく書くべきことを指定してきているということです。

●これだけは押さえよう！

《情報化社会》
パソコンやインターネットの爆発的な普及により、情報化が

“メリット”“デメリット”という言葉を使って説明しましょう。

←ここで２つに分けて
それぞれ答案にしましょう。

設問に対応する形で
くわしく述べましょう。

そのデマだけが急速に広まってしまい、取り付け騒ぎが起きてしまったのだ。これは、ソーシャルメディアという情報を容易に流せるだけの環境があったために起きたデメリットである。

だからこそ、我々は、どの情報が正しく信頼できるかを見分けるだけの力がなくてはならないのだ。そのためにも、情報を批判的に読み取る力が求められている。情報を批判的に読み取ることができれば、情報もふるいにかけられ、良質な情報だけを取り出せるだろう。また、既存のメディアに対する目も厳しくなり、より健全なメディアのあり方につながるはずだ。

さて、行政機関は高度情報通信社会の一員として、情報の送り手・受け手の存在を担っている。今後は、あらゆる情報を常にオープンにすることが必要だ。確かに機密情報もあろうが、基本的には情報を積極的に公開することで、国民からの信頼を得られるだろう。また、国民から受け取った情報を誰が処理するかということも明確化する必要がある。そうしなければ、国民は情報を送ってくれない。情報をただ受け取るだけでは、「受け手」とはいえない。

今後もＩＴ化は進み、さらに高度な情報通信社会が実現するだろう。情報を批判的に読み取る力こそ、これからの国民に必要な能力である。

いっそう進んでいる。そこで、業務の効率化やコスト削減を目的として、自治体のＩＴ化を推し進めている。インターネットで自治体のＷｅｂサイトを公開したり、電子自治体への取り組みも進んでいる。全国レベルでは住基ネットも稼働を始めた。しかし、情報化社会によって情報の取り扱いが容易になった反面、情報の漏洩や不正アクセスなどの問題も存在している。自治体のネットワーク環境や住基ネットが外部からの攻撃に弱いと言われ、いまだ解決すべき問題は多い。特に、情報を取り扱う職員の倫理的・技術的なレベルの向上が急務であり、自治体の情報リテラシーが重要となっている。

我々が「高度情報通信社会を生きるために身につけておくべき能力と心構え」について述べよ

ここがポイント！

国家Ⅱ種（現 国家一般〈大卒〉）の課題です。ここ数年の課題は、あるテーマに関して概略を述べる文章の後に二つ設問が設定され、それぞれの設問がかなりくわしく書くべきことを規定する形式になっています。ですから、今回は便宜的に「提案型」の例としてこの課題を挙げていますが、実質的には高度な「設問応答型」の課題であって、その時々によって「説明」や「提案」を述べる必要があります。

いかに設問の要求にきちんと応えるかが、もっとも重要です。なお「設問応答型」の説明は42ページを参照してください。

こうすればもっとよくなる！

今回の答案の最大の欠点は、この課題の要求にきちんと応えていないという点です。

まず課題は（1）と（2）で別々に解答することを要求しているのに、この答案では統合して書かれてしまっています。また（1）では、①「行動情報通新社会を生きるために身につけておくべき能力と心構え」を規定する。②それを身につけるメリットを述べる。③それを身につけないデメリットを述べる。④以上を例を挙げながら述べる。の四つを解答者に要求していますが、この答案では明確な形でこれらの要求に応えていません。

また、この状況は（2）でも変わりません。

まずは、設問を分析し、設問の要求に過不足なく回答することが重要です。逆にいえば設問の要求にきちんと応えようとすれば、答案はできあがるのです。

修正答案

我々が「高度情報通信社会を生きるために身につけておくべき能力と心構え」について述べよ

（1）

我々が高度情報通信社会を生きるためには、情報の選別能力を身につける必要がある。そして、すべての情報を鵜呑みにしない心構えが必要だ。

そういった能力や心構えを持つメリットは大きい。情報を選別する能力があれば、情報の真偽を批判的に判断し、自身の意志決定に役立てることができる。誤った情報に惑わされず、常に最善の判断ができるであろう。逆に、このような能力や心構えがなければ、氾濫する情報に翻弄され、理性的な判断ができなくなる。これはこれらの能力と心構えを持たない大きなデメリットである。

先日、ある地方銀行が倒産するというデマがソーシャルメディア上で流れ、取り付け騒ぎに発展した。出所もよくわからないメールが急速に広まり、市民を不安に陥れたのだ。ここで情報リテラシーが備わっていれば、まずはその情報を疑い、理性的な判断ができただろう。しかし、情報リテラシーが備わっていなかった人々は感情的な判断を下し、そのデマに踊らされてしまったのだ。

特に最近では情報の伝達速度が例を見ないほど早い。だからこそ、情報の真偽を見極め、適切に判断する能力が必要なのである。

（2）

行政機関は、国民よりも情報の取り扱いに敏感にならなくてはならない。なぜならば、情報の送り手となるときも、そして受け手となるときも、その責任が大きいからである。

まず、送り手となるときは、迅速かつ正確であることに留意すべきである。必要な情報を必要なだけ提供し、国民の要望に応えなくてはならない。たとえそれが行政機関のミスや不手際を公開するのであっても、自ら範を垂れるべきだ。情報の送り手として信頼されるには、情報をむやみに隠すことがあってはならないからだ。

また、受け手となるときは、受け手の責任の所在を明確にすることに留意しなければならない。誰がその情報を受け取ったのか、そして返事をするのは誰なのか。最終的な責任を負うのは誰なのか。そういったことを明確にせず、あいまいな受け取り方をしていれば、国民は受け手としての行政機関に対し不信感を抱くであろう。

高度情報通信社会では、情報の持つ価値がさらに重要となる。適切な情報を適切に取り扱うことが、その価値を最大限に高めることにつながるのだ。

※赤字の部分はポイントとなる修正箇所です。
添削がどのように反映されているか考えながら読みましょう。

模範文例

雇用政策について

地方上級レベル
90分・1200字以内

判断　　　社会的文脈の引用・前半　全国区、後半　志望自治体

これまで雇用問題は、ニートやフリーター問題、子育てと仕事の両立、高齢者の就業支援など、「生き方の多様化」について語られることが多かった。しかし、現在、世界金融危機の発生により経済状況が急激に悪化する中で、相次ぐ「派遣切り」や「内定取り消し」が起こり、一流企業の正社員ですら雇用の危機にさらされるようになった。「社会不安化」した現在の雇用問題は、早急に対策を講じていかなくてはならない深刻な問題となっている。

こうした雇用環境において、国や地方自治体は緊急経済雇用対策を実施している。特別区の雇用対策としては、臨時職員の雇用、総合窓口の設置、仕事支援センター設立による就業支援、中小企業向け融資の拡大、工事の前倒し等を実施している。また一方では、女性の出産・育児を契機とした退職や、団塊の世代の退職による労働力人口の減少も問題視されている。このため、新たな雇用環境の整備を行い、出産や育児を契機として退職した女性や、定年退職後の高齢者層を労働市場に参加させる新たな取り組みが必要とされている。

それゆえ今後は、退職した女性や高齢者が、今まで培ってきた能力や技術を、若者や後輩に継承できるような雇

注目！

「●●における△△」という典型的な政策提言の課題です。答案の基本的な構成は、まず社会的文脈を引用した上で、核となる政策を提案し、あとは具体的な方針を述べていきます。説得力のある答案にするためのポイントは、自身の政策を提言した後に、予想される反対意見も挙げ、それに対して反論を加えておくことです。こうすることで、柔軟でバランスのよい思考をアピールすることができます。

根拠　問題点の補足　新しい視点の補足　まとめ

用システムを構築することが、特別区にとって効果的な雇用対策である~~と考える~~。

たとえば日本の高齢者の労働意欲は、先進国の中でも飛びぬけて高く、元気ならいつまでも働きたいと思っている人が多い。また、仕事が洗練されており、豊富な経験を持つ優秀な人材が多数いると考えられる。また退職した女性も機会があれば社会に復帰したいと考えている人も多い。その高齢者や女性の技術、仕事のノウハウを継承していくことが非常に重要なのである。それゆえこれらの人々を各分野の先輩として派遣し、指導者として雇用する場合に助成金を出すなどのシステムを構築することが大変有効であると言える。

このシステムの導入においては、彼らを雇用することによって、多大な給与負担が発生することを懸念する声があるかもしれない。しかし、内閣府の調査では、たとえば、従業員が出産を~~気~~機に退職した場合、新たに人員を補完するより、いままでの従業員育児休業を取得~~し~~させたり、短期間勤務を行~~う~~わせる方が企業にとってコストがかからないという。まさに、新しい人材を採用するより経験を積んだ職員を再雇用する方が低コストなのである。

さらに、行政が、その業務を可能な限り民間委託し、自治体はその管理業務に特化すれば、さらなる~~効率化~~雇用の促進が図られるであろう。また、行政の財政状況の改善も見込めるはずである。

以上のように、雇用環境の改善のために、高齢者や女性の蓄積された知識や経験を無駄にしないシステム~~の~~を構築することが、最も効率的な雇用対策である。そして、この取り組みを強化すれば雇用問題は~~解決する~~改善されるはずである。

これだけは押さえよう！

《派遣切り》

「派遣切り」とは、２００８年11月からの金融危機を発端とする世界的不況で、製造業を中心とした派遣事業者と締結していた大規模な派遣契約の打ち切りと、それに伴う派遣社員の解雇・雇い止めのことである。派遣社員は、正社員や、直接の雇用関係にある期間工に比べて不安定な雇用条件に置かれており、現在、期間満了したことによる契約終了だけでなく、満了以前の契約切りも横行している。当初、全国におよそ１００万人いる製造業の派遣・請負労働者は２００９年３月末までに40万人が失業するという試算が製造派遣・請負会社の業界団体などに出されたが、実際に２００８年10月から２００９年９月までに職を失った非正規労働者は24万人であったといわれている。社会の安定のためには、雇用の確保が必須であり、公務員試験においても頻出のテーマである。

模範文例

あなたの関心のある行政サービスを一つ挙げ、それを効果的に行うために行政は何をすべきか

地方上級レベル
90分・字数不明

私の関心のある行政サービスは、ゴミ処理サービスである。地球環境に悪影響を及ぼさないようなゴミの処理を行うためには、ゴミを減らし、有害物質を減らし、ゴミ処理能力を高めなければならない。

これらの提案を整理し、ナンバリング・ラベリングを使って提示することで、よりわかりやすくなります。

行政がとるべきゴミ減量の具体的な方策として、例えばデポジット制度を作ったり事業者への指導を強化すること、ポイ捨て禁止条例など法整備への取り組み、リサイクル推進の啓蒙活動などが考えられる。有害物質を減らすためには、法整備、ゴミの分別の徹底とプラスチック製品不使用の呼びかけが必要であろう。ゴミ処理能力を高めるためには、最終処分場の効率的な利用や、清掃工場の新設などが挙げられる。

この部分がメインの主張になります。

これらの具体的な方策を効果的に行うために、公聴の制度を活用すべき

注目！

「提案中心型」で、行政サービスの一例を挙げて今後の方策を論じる課題です。今回は「提案」として公聴制度を挙げていますが、このシステムはゴミ問題だけでなく、さまざまな問題に対処するときのヒントとなりますので、他の問題の場合に公聴制度が使えないかどうか、あらかじめ考えておくとよいでしょう。

これだけは押さえよう！

《住民サービス》
政府自治体はゴミ処理、清掃、消防、警察など、住民の暮らしのためのサービスを担当する。

だ。

ここからが根拠です。

行政サービスの本質は業務の能率的かつ効果的な完遂にあるが、現状では十分になされているとはいえない。それは、行政システムが他からの競争にさらされていないため、無意識なサービス低下が起こりやすいからである。それは、地域独占であることやコスト意識がないこと、住民からのチェックがないことなどが原因している。市場メカニズムが働かない分、住民の意見や批判を汲み上げるシステムを行政側が自主的に構築する必要があるのだ。住民の意見を十分に聞き、ニーズに応えることが重要である。アンケートや住民集会など、積極的に住民の要望と批判を聞く公聴活動を、行政側が自主的に行う必要がある。

最後の段落にも「公聴」という言葉を使いましょう。

自治体の財政状況は厳しい。考え得る具体的な方策をすべて実行できるわけではない。限られた予算の中で効果的な行政サービスを提供するには、説明責任を果し、住民の意見を十分に取り入れた計画を立て、住民のニーズに応えていくことが求められているのだ。

特に、コストや保障体制などの面から民間企業には委託しづらいサービスを提供することとなる。しかし、競合がいないために無駄や不正の温床となりやすく、たびたび住民によって指摘されてきた。また、サービスの質の悪さや、住民が求めるサービスとの乖離もあったりする。そのため、今後は住民からの意見を聞き、真に必要なサービスを提供することや、民間企業と連携するなどして、コストの面からもサービスを変えていかなくてはならない。ＰＦＩを活用したりするのも一つの方法であろう。

Key Word

●PFI

Private Finance Initiativeの略。社会資本の建設・維持管理・運営等を民間事業化する経済政策。

模範文例

わが国が国際社会において果たすべき役割について述べよ

地方上級レベル
90分・800字

注目！

地方上級の課題です。シンプルな「提案中心型」の課題だからこそ、そこでなされる提案の質が問題となります。今回の答案は非常に具体的な提案がなされており、その点では高く評価できるでしょう。日頃から提案に使えるネタをいかに仕入れておくかが重要なポイントになります。

もっと簡潔に結論から書きましょう。

わが国はさまざまな問題は抱えつつも、いまだ豊かな国の一つであり、国際社会における存在感も大きい。だからこそ、その存在感に見合った貢献をするべきである。

ただ、それがかつてのように経済的な援助だけに偏ることは許されない。国際的な紛争において、資金援助だけを行い、人的支援を行わなければ、各国から「金で解決した」と非難されるだけである。

しかし、だからといって安易に自衛隊を派遣し、どちらか一方の立場に立って軍事的支援を行えばいいというわけではない。自衛隊の派遣に関しては、さまざまな議論もあり、また安易に軍事的な支援に走れば、対立する勢力の攻撃を招くなど、リスクの増大が考えられる。

だからこそ、ライフラインの構築や施設の充実、職業訓練、教育など、真

入れ換えた方が良いでしょう。

にその国のためになる援助を行うべきだ。日本は建築技術に関しては世界でも有数の実力がある。日本の高度に洗練された生産技術や生産機械を現地で活用できる。日本で職業訓練を行うのもよい。そして何より、国民の識字率を高め、一定水準の知識を養うという教育システムは日本のお家芸であるとも言える。こういった分野での貢献こそ、世界各国が求めているもののはずだ。

また以前、紛争地域の武装解除を進める事業に取り組んでいる日本人を紹介しているテレビ番組を見た。東ティモールやシエラレオネなどで武装解除と職業訓練プログラムに取り組み、その後、アフガニスタンで同様の事業に取り組み、国連からも賞賛された。この彼の活動は、日本のできることを我々によく示してくれている。

（もう少しくわしく背景も説明しましょう。）

二十一世紀を迎えた今も、世界各地で紛争は続いている。またグローバル化の負の面としての貧富の格差は拡大し続けている。高度な技術・ノウハウの輸出と、比較的中立な立場を利用した紛争の調停役。それがこれからの日本がなすべき国際貢献である。

（これを結論として冒頭に書きましょう。）

これだけは押さえよう！

《国際化・国際貢献》

近年、労働者として外国人を受け入れる傾向が強まっている。中にはそのまま日本に居住する者も多い。そのため、地方自治体によっては人口の一定割合を外国人が占めるところもあり、日本語教室などをはじめとする、多国語による行政サービスを実施する自治体も増えてきている。一方、以前から日本に暮らす外国人もおり、その権利の確保が徐々に広まってきている。現在では地方参政権や入試制度などにおいて、外国人による制限を撤廃することが議論されている。さらには、地方自治体も国際貢献の必要性が徐々に議論され、自治体によっては独自の友好関係を結ぶところもある。しかし、外国人による犯罪も増え、問題となっている。

模範文例

行政運営への住民参加を促進するに当たり、地方行政が取り組むべき課題について論じた上で、それに対する具体的対策について、あなたの考えを述べなさい

地方上級レベル
90分・B４一枚

注目！

「設問応答型」の地方上級の課題です。住民参加を促すための「課題」を説明した上で、そのための具体策を「提案」します。今回の答案は基本的な構成はできており、その点は評価できます。「提案」の具体策はなるほどと思えるものですが、欲をいえばもうワンランク細かい施策まで書き込めるとよかったでしょう。

取り組むべき課題について簡潔に述べています。

地方行政への住民参加を促進するに当たって課題となるのは、住民の動きに対する行政や議会の硬直した態度である。今後は住民が積極的に行政に参加できる仕組み、つまり「協働」できる仕組み作りが必要だ。

行政に住民の意見を反映させる過程において、それが行政の設定した穏健な枠内にとどまるとは限らない。むしろ、行政と住民が一時的に敵対するような関係になる場合すらあるだろう。例えば、住民投票がある。それまで地方行政に関わらなかった住民たちが意見を持ち始め、地域を自分たちの意思で創造しようという機運が起こる。このような運動に対して、行政や議会は、自らの特権に寄りかかり、情報の公開を拒んだり自らの決定に固執したり、という傾向が見られた。だが、単に民主主義への脅威とし

具体的方策

て対決するだけではいけないのだ。むしろ、そのような運動を行政への補完として、何らかの形で尊重する制度を作らねばならない。

具体的対策を簡潔に述べています。

そのための具体的な対策として、情報の十分な公開と政策形成過程への住民参加が必要である。住民に対して開かれた行政を保障するには、情報の開示は欠かせない。住民の意思を受け入れるにせよ拒否するにせよ、自治体は説明責任を果さなければならない。また、政策形成の場に住民が参加できることも非常に有効である。たしかに、一般市民から公募して組織を作り、マスタープランから作成するのは、手間がかかるかもしれない。しかし、住民投票などを実施する前から住民が参加すること、つまり「協働」することによって、結果的にはコストがかからず能率的になる。その上、住民から行政への信頼が増すだろう。

どのように行うかくわしい説明があるとさらによいでしょう。

行政や議会は説明責任を果たし、住民の意思を反映させていかなければならない。それが、これからの住民参加のあり方である。

これだけは押さえよう！

《住民参加》

「地方自治は民主主義の学校」といわれ、住民による地方自治が理想とされてきた。しかし、地方自治行政の閉鎖性や民意とのねじれが問題となっている。ただ、以前は露骨な利益誘導型行政が横行していたが、最近では住民投票などの直接的民主主義が取り入れられつつある。しかし、それはあくまでも権利を行使することで実現するのであり、すべて他人任せにしてはならない。行政の側も住民に意見表明や政策決定の場を提供し、住民も高い意識をもって参加することが求められる。最近では原発や産廃処理場の建設、在日米軍の処遇などの問題で住民参加が積極的に行われている。

模範文例

災害に強いまちづくり

地方上級レベル
80分・1000～1500字

具体例で根拠を挙げます。

端的に結論を述べます。

都会では地域の顔が見えずコミュニティーが存在しない。この問題に行政が着手することが災害に強いまちづくりのために必要ではないだろうか。

阪神大震災や東日本大震災が起きた直後、交通も情報も麻痺した状態で、住民自らが救助活動や消化活動を行い、被害の広がりをくい止めた地域があった。地元のコミュニティーの強さが被害を最小限に抑えたのだ。災害時は生活の基盤が崩れるため、顔が見える地域コミュニティーが重要になる。人々の助け合いが、生活基盤の崩壊をカバーできるからだ。また、お互いが日常の生活環境を見知った仲であるほど、避難生活の厳しさを乗り越えることができるだろう。

近所づきあいのわずらわしさがないことは、都会に住む人たちが挙げる利点でもある。しかし、カルチャーセンターなど共通の趣味や目的を持つ人た

注目！

基本的な「提案中心型」の課題です。コミュニティー作りが災害に強い町を作る上で重要という主張は明快で説得力があります。具体的な方策も書かれており、提案としては申し分ないでしょう。欲をいえば人的資源とコストの問題に言及してもらうとさらによくなったかもしれません。

これだけは押さえよう！

《災害対策》

突発的な自然災害を含め、日本は災害の危険性につねにさらされている。大地震や火山噴火

非常に具体的に提案ができています。

ちが集まる場所があるように、「災害を防ぐ」「災害に備える」という目的で地域の人が集まる場所を設定することも重要だ。

例えば、公立中学校の空き教室を利用して災害時のための日常生活用品の備蓄やネットワークづくりを行う。例えば、一人暮らしのお年寄りや障害者など、避難に援助の必要な人たちが住む場所を確認しておく。災害が起きる時間帯を想定し、それぞれ避難・救助活動を策定する。はじめに行政側が声をかけて住民を集め、議題や資料を提供し、協力を仰ぐ。もともとコミュニティーの存在しない地域であるため、災害に強いまちをつくっていくという目的を理解してもらうよう説明しなければならない。回を重ね、住民同士の顔がつながるようになれば、行政は間接的な支援の役割に退けばよい。

予想される問題点を書くことで現実味が増します。

空き教室に人が出入りすることへの不安、社会的弱者の居住地をオープンにすることの危険性という問題点もあるだろう。しかし、地域の顔が見える社会であれば、不審人物を発見することや人的な犯罪から弱者を守ることが可能なはずだ。だからこそ、そのために行政主導でコミュニティーづくりを実践し、安全に住める地域の基盤をつくることが必要なのである。

などの大規模災害はもとより、特に近年では異常気象による豪雨や大潮、工場の火災や爆発など、通常の行政能力では対処しきれないケースが多く予想される。こういった災害に対処するため、自治体の日頃の準備が重要となる。ライフラインの確保や職員の連絡体制の整備はもちろん、住民や地域コミュニティ、さらにはボランティアやNPOなどとの有機的な連携が必要だろう。また、自治体の枠を超え、自治体同士が協力し合って災害に備える体制も整備されつつある。事前の情報収集と、事後の適切な体制整備が必要といわれている。

Key Word

●NPO
非営利組織の略。利益を目的としない組織であり、無料、もしくは安価でサービスを提供することを目的とする。

防犯だけでなく日頃のコミュニケーションの活性化にもふれると良いでしょう。

模範文例

近年、ひったくりや空き巣、子どもが巻き込まれる事件など、私たちの身近なところでの犯罪が増加しています。こうした状況の中で、誰もが安心して暮らすことのできる地域社会を実現していくためにはどうすべきか、あなたの考えを論じなさい

地方上級レベル
90分・A3一枚

注目！

典型的な「提案型」の課題です。現状を正確に把握した上で、現実的な提案を行わなければなりません。今回の答案は、住民の自警活動を行政側がバックアップするという方針と、防犯灯などの設置の推進、住民安全条例の制定という3本柱の提案となっています。提案の弱点にも触れているところが評価できます。

「日本は治安が良く、犯罪が少なく安全な国である。」というイメージはすでに過去のものである。

具体的な数値を挙げる場合は自信がある数値のみを挙げるようにしましょう。

警視庁の犯罪発生の統計では、ひったくりは、平成一八年中、都内において三〇〇〇件ほど発生している。被害者のうち約九割が女性である。また、侵入窃盗の認知件数は、一七〇〇〇件ほどであり、一人暮らしの高齢者や女性、子どもといった社会的弱者を狙った犯罪も頻繁に発生している。

では、誰もが安心して暮らすことのできる地域社会を実現させていくにはどうすればよいだろうか。

まず、地域住民同士が、互いにコミュニケーションを取り合い、防犯活動を~~とれる~~（行える）仕組みを確立する。さらに、自治体は、地域住民同士の防犯活動をサポートする仕組みを確立し、住環境の整備や生活安全条例などの制定を行うべきである。

すでに、自分たちの力で犯罪の発生に歯止めをかけようと、地域住民が連帯して、都内の各所で防犯パトロール等の自主的な防犯活動を行う取り組みが拡がりつつある。自主防犯ボランティア団体も東京都内で数多く結成され、月平均活動日数が二〇日以上という団体も年々増加している。これは、地域住民が、治安の悪化や近隣住民との関係の希薄化に危機感を覚えはじめた表れであるといえよう。すでに防犯パトロール開始後に侵入窃盗の発生が減少するなど、犯罪防止に大きな成果を挙げている。

このような活動に対して自治体は、現在発生している犯罪の情報や防犯対策の整備の進行状況などをより早く、より多く提供していくべきである。例えば、侵入窃盗対策の専門家を招いて地域を視察してもらい、犯罪者に狙われやすい場所を指摘する。そして、地域住民~~との~~に向けた講習会などを開催し、改修や改善をしていく。その際の費用の一部を自治体で補助することも考えられるだろう。

また、警視庁によると、「スーパー防犯灯」や「子ども緊急通報装置」という特殊な街路灯があるという。これらは、ひったくりに遭ったり、事件、事故を目撃したりしたとき、緊急通報ボタンを押すと赤色灯が点灯し、ブザーが鳴り、周囲に緊急事態が発生したことを知らせるものである。「スーパー防犯灯」には防犯カメラも設置されていて、インターホンで警察官と通話も可能である。

自治体は、暗い道や通学路にこのような街路灯の整備を進め安全な住環境を提供していくべきだ。

この部分はもう少し詳しい説明が必要です。

さらに、生活安全条例などにより、法的にも地域住民が守られるべきである。

すでに、杉並区では、防犯カメラ設置利用基準の届け出を条例で義務づけている。この条例に関しては、プライバシーや肖像権の問題などがあると思われるが、自治体としては前向きに検討するべきであろう。

ある方策のマイナス面にもふれておくのは効果的です。

同じように、公園や駐車場などの敷地面積に対する照明設備の本数や垣根の高さの制限などを条例として定めるというのもよいのではないだろうか。

このように自治体は、地域住民と協働して防犯活動を支える仕組みを確立し、住環境の整備や条例による防犯をさらに進めていくべきである。

これだけは押さえよう！

《地域の防犯対策》

平成十七年六月に開催された犯罪対策閣僚会議・都市再生本部合同会議において、「安全・安心なまちづくり全国展開プラン」と「防犯対策等とまちづくりの連携協働による都市の安全・安心の再構築」が決定された。

この決定には犯罪の発生しにくい公共施設等の整備・管理や防犯に配慮した住宅の普及などが盛り込まれ、住民の安全を守ることが自治体の重要な使命であることが再確認されている。

また警察庁では、地域の自主防犯ボランティアを支援するウェブサイトを立ち上げ、自分たちの町を自分たちで守る活動を支援している。自治体にとってこれらの活動を支援することは今後非常に重要になるだろう。

COLUMN

「提案」の発想法

「提案」をどのように発想するか、は多くの人にとって頭痛の種でしょう。

たしかに新聞や書籍などをみると、さまざまな問題に対して専門家がこうしたほうがいい、ああしたほうがいい、と発言しています。こうした専門家の意見のうち、自分が「そのとおり」と思えるものを自分の「提案」として書く方法もありますが、その意見があまりにも一般的な意見であった場合、試験官に“単なる他人の意見の引き写し”と見られかねません。できれば、自分自身の頭で「提案」が考え出せるようになるとよいですね。

そんな時にヒントになるのが以下のキーワードです。

S．……START　（何を始めるか）
S．……STOP　（何をやめるか）
C．……CHANGE（どう変えるか）

じつは人間が行動を起こす時は、上の三種類の行動しかとれないのです。

つまり、いままでやっていなかったことを始めるか、いままでやっていたことをやめるか、いまやっていることのやり方を変えるか、どれかしかないのです。

ある状況を変えるために提案を行う時は、このキーワードに沿って具体的な行動を考えてみましょう。そうすることで、借り物でない自分自身の「提案」が書けるようになります。

第7日

ネタの転用と本番対策

本日のポイント

第7日 「ネタの転用」

今日は最後の仕上げを兼ねてこれまでと違って、「ネタの転用」について学びます。「ネタの転用」とは答案で書くべき内容（＝ネタ）をいろいろな課題に使い回すことです。

いままで本書を読んできておわかりのように、公務員試験の課題は、出題内容・出題形式ともにさまざまな種類があります。そしてそのすべてに対して一つ一つ予想して準備することは物理的に不可能です。

でも心配する必要はありません。ある程度の事前準備さえしておけば、あとはそのネタを使い回すことで、ほとんどの答案は書けるものなのです。

得意ネタを用意しよう！

転用ネタとしてあらかじめ用意しておいたほうがよいのは、次の三つです。

①「過去の自分」ネタ
②「未来の自分」ネタ
③「提案」ネタ

①「過去の自分」ネタ

「過去の自分」ネタとして最適なのは、自分を一番成長させてくれた「最高の失敗」です。そこから何を学んだかを言葉にしておき、とっておきの「成長物語」にしておきましょう（第2日の「過去の自分中心型」小論文の書き方を参照してください）。

「過去の自分」ネタは、小論文のネタとしてはおもに

「地方初級」「国家一般〈高卒〉」対策ということになりますが、「地方上級」「国家一般〈大卒〉」の人にとっては面接の対策にもなります。

ですから、「地方上級」や「国家一般〈大卒〉」を受験する人も何本か作文型小論文に挑戦し、その演習を通して「過去の自分」ネタを獲得してください。

②「未来の自分」ネタ

「未来の自分」ネタも、「過去の自分」ネタと同じく面接対策にもなりますので、ぜひ全員が準備しておいてください。32ページを参考にして、自分の「夢」と「目標」と「課題」を段階的に把握し、なるべく具体的な「行動計画」にしておきます。

またネタの内容は、あくまでも〝志望先の公務員としての「未来の自分」〟でなければなりません。志望先でどんな仕事があるのかをあらかじめ調べておき、その仕事に即した「未来の自分」を語りましょう。ほかの試験と併願する場合は志望先に合わせていくつかパターンを用意してもよいでしょう（ただし何を書いたかは覚えておき、面接で語る内容と食い違いを起こさないよう注意しましょう）。

③「提案」ネタ

「提案」ネタもあらかじめ準備しておくと、いろいろと転用ができます。

まず本書の模範文例の下にある「これだけは押さえよう！」を読んで、その中に書かれていた問題を、自分だったらどう解決するか考えておきましょう。その際、コラム（158ページ）の「Ｓ・Ｓ・Ｃ」をヒントにしてみてください。

もし自分では思いつかないという人は、書籍で調べたり、インターネットで情報を集めておくとよいでしょう。「これだけは押さえよう！」のすべての項目に対して一つずつ「提案」するだけでも、ほとんどの課題に対応できる最低限の準備になります。

自分の「成長物語」を転用する

～転用例1

「成長物語」を用意しておこう！

　転用例1の三課題はすべて国家一般〈高卒〉の問題です。これらの課題で「過去の自分」のネタを転用しています。一見異なるそれぞれの課題ですが、同じ部活のネタの前後を少し変えるだけで全く違和感なく答案として成り立つことを確認してください。

　このようにいままでの経験の中で自分を成長させてくれた事件を思い出し、それらをいろいろな角度から分析しておくと、試験本番に書くことがなくて困るということがなくなります。自分を成長させてくれた、一番の経験を思い出し、それを自身の「成長物語」としてどんなテーマが出題されても語れるようにしておきましょう。

原稿用紙の使い方①

マス目	字下げ	行の先頭	行の末尾
一字で一マス。拗音（「ゃ」など）、促音（「っ」）、句読点（、。）なども同じ。ただし、閉じカギカッコ（」）と句点（。）は同じマスに入れる。	段落の初めは一マス空ける。	閉じカッコ（」』など）や中黒（・）、長音（ー）、拗音、促音、句読点などは、行の先頭に書かない。前の行の末尾のマスに一緒に入れる。ただし、字数制限のある場合だけは例外。字数オーバーとなるので書けない。	開きカッコ（「『など）などは、行の末尾に書かない。末尾のマスを空け、次の行の先頭に書く。
「私はピッチャーでした。」	ある日、アルバイト先で…	○○○と考えられるでしょうか。」	かつて市役所を訪れた時に、 『公務員の鑑』を見つけた。

転用例１-１ 

コミュニケーションの大切さ

何ごとをなすにも、仲間とのコミュニケーションは重要である。円滑なコミュニケーションがあってこそ、目標を達成できるのだ。

私は高校時代、サッカー部に所属していた。サッカーはチームで取り組むスポーツであり、チームメイトとのコミュニケーションが勝利の鍵を握っている。

はじめの頃は、チームにまとまりがなかった。練習は全員で取り組むものの、試合になるとお互いが意思疎通を図ることなく、自分勝手にプレーしていた。そのため、試合ではまったく勝てず、不満ばかりがたまる一方だった。

ある日、キャプテンがメンバーを集めて「話をしよう」と切り出した。はじめのうちはだれも発言しなかったが、だんだんと発言するようになり、理想のチームのあり方や練習メニュー、そして試合への取り組み方までさまざまなことを議論した。そのおかげからか、次の日からは練習も熱心に取り組むようになり、試合でもお互いに声をかけ合ってフォローし合えるようになった。そして、試合でも勝てるチームに生まれ変わることができた。

公務員の仕事もチームワークが大切だ。チームワークを育てるためには、何よりコミュニケーションが必要となる。小さなことでも話し合い、意見を共有すれば、強いチームになれる。そうすれば、住民の役に立てる公務員になれるだろう。

〈国家一般〈高卒〉レベル　45分・６００字〉

※赤字の部分がネタの転用になります。
同じネタがどのように転用されているか確認しましょう。

転用例1-2 

友と語ること

仲間と語り合うことで、同じ目標を目指すことができる。私はそのことを、部活動を通じて学んだ。

私は高校時代、サッカー部に所属していた。サッカーはチームで取り組むスポーツであり、チームメイトとのコミュニケーションが勝利の鍵を握っている。

はじめの頃は、チームにまとまりがなかった。練習は全員で取り組むものの、試合になるとお互いが意思疎通を図ることなく、自分勝手にプレーしていた。そのため、試合ではまったく勝てず、不満ばかりがたまる一方だった。

ある日、キャプテンがメンバーを集めて「話をしよう」と切り出した。はじめのうちはだれも発言しなかったが、だんだんと発言するようになり、理想のチームのあり方や練習メニュー、そして試合への取り組み方までさまざまなことを議論した。そのおかげからか、次の日からは練習も熱心に取り組むようになり、試合でもお互いに声をかけ合ってフォローしあえるようになった。そして、試合でも勝てるチームに生まれ変わることができた。

公務員の仕事もまずは「語り合う」ことが大切だ。何をしなくてはならないかを語り合い、共通する目標を作る。そして行動する。それが公務員にとって、とても重要なことである。仲間と語り合うことで、さまざまな分野で活躍できる公務員になりたい。

〈国家一般〈高卒〉レベル　45分・600字〉

転用例1-3

スポーツの効用

　スポーツは仲間と共通の目標を持ち、一緒に努力できるというよい点がある。私はそれを高校時代に学んだ。

　私は高校時代、サッカー部に所属していた。サッカーはチームで取り組むスポーツであり、チームメイトとのコミュニケーションが勝利の鍵を握っている。

　はじめの頃は、チームにまとまりがなかった。練習は全員で取り組むものの、試合になるとお互いが意思疎通を図ることなく、自分勝手にプレーしていた。そのため、試合ではまったく勝てず、不満ばかりがたまる一方だった。

　ある日、キャプテンがメンバーを集めて「話をしよう」と切り出した。はじめのうちはだれも発言しなかったが、だんだんと発言するようになり、理想のチームのあり方や練習メニュー、そして試合への取り組み方までさまざまなことを議論した。そのおかげからか、次の日からは練習も熱心に取り組むようになり、試合でもお互いに声をかけ合ってフォローしあえるようになった。チーム全体で協力し合うことの大切さを学んだのである。

　この経験は、公務員になってからも役に立つはずだ。同じ目標を持ち、住民のために一丸となって仕事に取り組みたい。そうすれば、きっと住民から信頼される公務員になれるだろう。

〈国家一般〈高卒〉レベル　45分・600字〉

※赤字の部分がネタの転用になります。
同じネタがどのように転用されているか確認しましょう。

「夢」を違う角度から述べる　～転用例2

「未来の自分」も転用できる！

転用例2の三課題は、すべて地方初級の問題です。今度は「未来の自分」のネタを転用しています。「過去の自分」のネタ同様、料理の仕方でさまざまな課題に対応できることを確認してください。

例えば転用例2-2では「志」と「IT」という全く異質な言葉が、「先進的な自治体」というキーワードによって結びついています。このようにちょっと視点を変えるだけで「未来の自分」ネタも十分転用可能になります。自分の得意分野をアピールできるネタを用意し、それをいろいろなテーマで使えるようにしておきましょう。また今回のネタは"あるべき公務員像"にも使えます。

原稿用紙の使い方②

項目	説明	例
疑問符・感嘆符	疑問符（?）や感嘆符（!）の後ろは一マス空ける。ただし、論文では原則として用いない。	「何！　本当か？　そうか……
点やダッシュ	点（……）は、一マスに点を三つ入れ、二マス続ける。ダッシュは、二マス分書く。	「僕は……。」後の言葉は出ない。
数字	縦書きの場合は漢数字、横書きの場合は算用数字で書く。	二〇〇五年度の暫定予算は、…
カギカッコ	会話や気持ちを表す場合は一重カギカッコ（「　」）を用いる。カギカッコの中にもう一組カギカッコを書くときは、二重カギカッコ（『　』）を用いる。	「彼は『はい』とうなずいた。」

転用例2-1

私の挑戦

私は、地方自治体のＩＴ化を推進する役割に挑戦してみたい。

私は中学生の頃からパソコンに触れるのが好きで、パソコンを利用してさまざまなことに活用してきた。特に、高校時代は現代社会のレポート作成におおいに活用し、先生からも高い評価を頂いたことがある。

その時感じたのが、「相手の求める情報を、的確に把握し、情報収集を重ね、そして過不足なく提供しなくてはならない」ということだった。

自治体は、地域住民のためにある組織だ。地域住民が求める情報を、的確に、そして素早く伝えなくてはならない。そこで生きてくるのがＩＴ技術だろう。

例えば、今後到来する電子自治体時代に向けて、職員全員がＩＴに精通している必要があるだろう。また、ＩＴを活用してどんなサービスを提供できるのかを考え、実行していかなくてはならない。住民の求める情報が何かを把握し、常時提供できるようにする。そうすれば、魅力ある自治体として近隣から住民が集まってくることにつながる。そして、自治体の発展につながるだろう。

私の能力は、自治体のＩＴ化を進める上できっと役立つはずだ。自分の能力を活かし、新しいことにどんどん挑戦していきたい。そして将来、「ＩＴなら私」といえるような存在になれるよう、努力していきたい。

（地方初級レベル　時間・字数不明）

※赤字の部分がネタの転用になります。
同じネタがどのように転用されているか確認しましょう。

転用例2-2

私の志

私は、先進的な自治体と呼ばれるような自治体作りに取り組んでみたい。特に、ＩＴの面から貢献するのが現在の志だ。

私は中学生の頃からパソコンに触れるのが好きで、パソコンを利用してさまざまなことに活用してきた。特に、高校時代は現代社会のレポート作成におおいに活用し、先生からも高い評価を頂いたことがある。

その時感じたのが、「相手の求める情報を、的確に把握し、情報収集を重ね、そして過不足なく提供しなくてはならない」ということだった。

自治体は、地域住民のためにある組織だ。地域住民が求める情報を、的確に、そして素早く伝えなくてはならない。そこで生きてくるのがＩＴ技術だろう。

例えば、今後到来する電子自治体時代に向けて、職員全員がＩＴに精通している必要があるだろう。また、ＩＴを活用してどんなサービスを提供できるのかを考え、実行していかなくてはならない。住民の求める情報が何かを把握し、常時提供できるようにする。そうすれば、魅力ある自治体として近隣から住民が集まってくることにつながる。そして、自治体の発展につながるだろう。

そのためにも、常に勉強と情報収集を怠らず、研鑽を積んでいきたい。私の志を実現するためにも、仲間から頼られ、存在感のある人間となれるよう、努力していきたい。

（地方初級レベル　時間・字数不明）

転用例2-3

あなたのいま現在の能力をふまえ、これから何の役割をになっていきたいか

私はパソコンの扱いが得意だ。その能力を活かし、自治体のＩＴ化に積極的に協力する役割を担っていきたい。

私は中学生の頃からパソコンに触れるのが好きで、パソコンを利用してさまざまなことに活用してきた。特に、高校時代は現代社会のレポート作成におおいに活用し、先生からも高い評価を頂いたことがある。

その時感じたのが、「相手の求める情報を、的確に把握し、情報収集を重ね、そして過不足なく提供しなくてはならない」ということだった。

自治体は、地域住民のためにある組織だ。地域住民が求める情報を、的確に、そして素早く伝えなくてはならない。そこで生きてくるのがＩＴ技術だろう。

例えば、今後到来する電子自治体時代に向けて、職員全員がＩＴに精通している必要があるだろう。また、ＩＴを活用してどんなサービスを提供できるのかを考え、実行していかなくてはならない。住民の求める情報が何かを把握し、常時提供できるようにする。そうすれば、魅力ある自治体として近隣から住民が集まってくることにつながる。そして、自治体の発展につながるだろう。

私の能力は、自治体のＩＴ化を進める上できっと役立つはずだ。自分の役割を自覚し、仕事に取り組んで成果を出し続けたい。仲間と協力してＩＴ化をさらに進め、「便利な自治体」と呼ばれることが私の夢だ。

（地方初級レベル　時間・字数不明）

※赤字の部分がネタの転用になります。同じネタがどのように転用されているか確認しましょう。

自分の得意ネタを準備しておく
～転用例3

「提案」ネタは転用がしやすい！

転用例3の三課題は、すべて地方上級の問題です。伝統的なものを利用して自治体に特色を出させよう、というネタを、三つのタイプの異なる課題に転用しています。特に転用例3-3は抽象的な問題です。

この例に見られるように、論文型小論文における「提案」は、いろいろな課題で転用できることが多いようです。特に教育ネタはほとんどの課題に適応できます。なぜならどのような社会問題であっても、それを解決する有効な方法のひとつは教育だからです。

いくつか種類の異なるテーマに関して自分なりの「提案」を考えておき、本番の課題に活かしましょう。

これだけは押さえよう！

《豊かな社会》

これまでにも「モノの豊かさ」ではなく「心の豊かさ」を求めることが叫ばれてきた。清貧の思想がブームになったこともある。大量生産、大量消費だけに頼らない生活のスタイルづくりが必要となってきている。しかし、産業の発展のためにはこのスタイルが必要であるとの反論もあり、逆に、「持続可能な発展」の必要性も一方で主張されている。また、最近では自然の多い環境を望む人も多く、大都市から地方都市への移住も一般的になってきた。第一次産業を志す人も増えてきている。今後は進歩する科学技術を活用し、いかに心の豊かな社会にするかが問われている。

転用例3-1

伝統芸能や伝統工芸などの伝統文化の継承発展を図るためには、どのようにしたらよいか。あなたの考えを述べなさい

　伝統芸能や伝統工芸は、いまや一部の愛好者だけによって支えられ、このままでは発展することが難しい。継承者も少なく、すでに廃れつつあるものも存在している。

　今後、伝統芸能や伝統工芸などの伝統文化を継承発展させていくために、自治体が中心となってその役割を担っていくべきだ。そして、最終的には独立して継承発展をできるくらいの競争力を身につけられるようにする必要がある。

　伝統芸能や伝統工芸が衰退している原因として、「古くさい」「遅れている」「時代に合わない」というイメージを持たれてしまっていることがある。また、時代に合わない面もたしかにあり、他の競争相手と互角に競い合うだけの能力を持っていないこともある。

　例えば、食器に関していえば、安くて実用的な食器や海外製の高級食器との競争がある。「古くさい」というイメージを持たれてしまえば、人々から見向きもされなくなるだろう。このような状況を打破し、伝統を守りつつも将来につなげていかなくてはならない。

　そこで、民間企業の力を借りながら、自治体が進んで発展を支援していくべきだ。例えば、最近では物を売るときも、ただ売るのではなく、生活の場面として提案し、人々に訴えかける手法がとられている。これを活用し、例えば「和食器のある風景」コンテストなどを開催する。食器も無料で貸し出し、実際に会場で提案してもらうのだ。このようなイベントを通して知名度を高め、そして実際に購入してもらえるようになれば、他の食器などの競争相手とも十分に競い合えるはずだ。ただ売るのではなく、そこに付加価値をつけるのだ。

　また、最終的には民間企業に任せ、事業のさらなる継承発展を図ってもらう。イベントなどでは協力しあい、その流れをはぐくみつづけるのだ。そうすれば、伝統も守られる上、さらに発展することが可能だろう。

　このように、伝統文化を守ることは十分可能である。そして、自治体の力がそこに活かせるはずだ。伝統文化をその担い手に任せたり、単純なハコ物行政に頼るのではなく、アイデアと多少の資金とを活用していけば、日本の中でもキラリと光るような存在になれるだろう。


（地方上級レベル　120分・2250字）

※赤字の部分がネタの転用になります。
同じネタがどのように転用されているか確認しましょう。

転用例3-2　提案

二十一世紀に向けて住みよい魅力ある県にするためにはどうしたらよいか

この県は、東京のような大都市に比べると確かに「先進的」という魅力には乏しい。「古くさい」「田舎だ」というイメージを持たれてしまう可能性もある。しかし、そのイメージを逆手にとって東京などの大都市にはない魅力を打ち出せば、住みやすさと魅力を両立できる県になるはずだ。

この県には、古来より伝わる伝統芸能や伝統工芸があるものの、いまや一部の愛好者だけによって支えられ、このままでは発展することが難しい。継承者も少なく、すでに廃れつつあるものも存在している。

伝統芸能や伝統工芸は「古くさい」「遅れている」「時代に合わない」というイメージを持たれてしまいがちだ。そして、そういった伝統をアピールすることで、さらに「田舎臭い」と思われることさえある。しかし、それを逆手にとり、「伝統がある」という魅力を打ち出せれば、伝統の中に生きていける場所、というイメージを生み出すことができるだろう。

例えば、伝統工芸品のある風景を、みんなに提案してもらうのだ。全国から参加者を募集し、工芸品も無料で貸し出す。そして、実際に会場で提案してもらうのだ。このようなイベントを通して知名度を高め、そして実際に購入してもらえるようになれば、伝統工芸品のよさもわかってもらえるだろうし、「面白いところだ」と思ってもらえるようになる。

また、最終的には民間企業に任せ、事業のさらなる継承発展を図ってもらう。イベントなどでは協力しあい、その流れをはぐくみつづけるのだ。そうすれば、伝統も守られる上、さらに発展することが可能だろう。

このような魅力を打ち出し、継続していくことができれば、全国からも観光客がやってくるだろう。そして、その中から「ここに住んでみたい」と思う人も出てくるだろう。そうしたら、今度は住民サービスなどの充実度を知ってもらい、安心してもらえばよい。住民サービスそのものは他の都道府県と遜色ないのだから、それは当たり前のように存在していることを伝えるだけで十分だろう。

このように、伝統文化を活かせば新しい魅力を作り出せる。単純なハコ物行政に頼るのではなく、アイデアと多少の資金とを活用していけば、日本の中でもキラリと光るような存在になれるだろう。

（地方上級レベル　70分・1000字）

転用例3-3

混沌と未来

混沌と聞いて思い出すのは、市街中心部の再開発によって文化遺産とも言える建物が移築されることとなり、市民からの反発を招いた事件のことである。

行政側は効率的な再開発と、文化遺産の保護を主張した。しかし、その場所にあることが意味を持つとした市民の側は激しく反発し、その計画は頓挫したままである。

たしかに、まちづくりは効率も重視されるべきだ。しかし、近未来的な効率と、前近代的な非効率とが混沌として存在することも、まちの一つのあり方であろう。

このまちには、伝統的な建築もいまだなお多い。しかし、伝統的な建築はいまの建築規格からはかけ離れ、利用効率も悪い。このままでは、効率のよい発展は難しい。

伝統的な建築物は「古くさい」「遅れている」「時代に合わない」というイメージを持たれてしまいがちだ。そして、そういった伝統をアピールすることで、さらに「古くさい」と思われることさえある。しかし、それを逆手にとり、「伝統がある」という魅力を打ち出せれば、伝統が息づいている場所、というイメージを生み出すことができるだろう。

例えば、伝統的な建築物と現代的な建築物の混在する風景を、逆にアピールすることはできないだろうか。伝統と新規性の共存は、あらたな景観を作り出すだろう。そこに統一感を生みだすことで、魅力あるまちづくりが実現できる。このような計画を市民を巻き込んで議論し、実際に行動に移すことで、「面白いところだ」と思ってもらえるようになる。

また、最終的には民間企業に委任し、計画のさらなる継承発展を図ってもらう。イベントなどでは協力しあい、その流れをはぐくみつづけるのだ。そうすれば、伝統も守られる上、さらに発展することが可能だろう。

このような魅力を打ち出し、継続していくことができれば、全国から観光客がやってくるだろう。そして、その中から「ここに住んでみたい」と思う人も出てくるだろう。そうしたら、今度は住民サービスなどの充実度を知ってもらい、安心してもらえばよい。住民サービスそのものは他の都道府県と遜色ないのだから、それは当たり前のように存在していることを伝えるだけで十分だろう。

このように、伝統文化を活かせば新しい魅力を作り出せる。単純な効率第一主義に頼るのではなく、アイデアと多少の資金とを活用していけば、日本の中でもキラリと光るような存在になれるだろう。

(地方上級レベル　90分・無制限)

※赤字の部分がネタの転用になります。同じネタがどのように転用されているか確認しましょう。

「語り口」を変えて臨機応変に
～転用例4

試験の種類が違ってもネタは転用できる！

転用例４の三課題は国家一般〈高卒〉、地方初級、地方上級とすべて試験が異なる問題です。受験する試験が違っても同じネタで勝負できる例といえます。「情報アクセスが容易な社会」をキーワードに「作文基本型」「論文基本型」「提案中心型」とそれぞれ答案作成のタイプまで異なる課題に対応しています。

このようにタイプの異なる課題に同じネタを転用させようとするときは、ある程度文体も変化させる必要があります。求められているものが異なりますので、「語り口」を変えるのです。具体的には地方初級、国家一般〈高卒〉は作文的な語り口で、地方上級は論文的に硬めにします。

これだけは押さえよう！

《まちづくり・地域づくり》

高度経済成長時代からバブルの時代にかけ、国の策定した開発計画によって国土の発展が図られてきた。たしかに工業化という目標は達成することができたが、その代償として大都市への一極集中を生み出し、地方の力を削ぐ結果となった。また、自然破壊や無理な開発が、自然の美しさを失わせることになったともいわれる。今後は地域住民を主体とし、地域住民が自主的に地域づくりを図る必要がある。自治体も住民の意思を尊重し、地方分権の恩恵を最大限に活かして独自の景観や環境を作っていくことが必要だろう。建設工事だけに頼らない地域づくりが、これからの主流となる。

転用例4-1

住みよい社会にするために私ができること

　この街を住みやすい社会にするために私ができることの一つに、私の情報処理に関する技術や知識をもとにして、この街を情報アクセスの容易な地域にすることが挙げられる。

　この地はいわゆる地方都市である。美しい自然も残り、緑豊かなところとして近隣でも有名だ。しかし、東京などの大都市圏に比べるとどうしても先進的な魅力に欠ける。若者の流出も激しい。私の友人の多くも、高校卒業後は東京に出たいと語っていた。

　このような中で街の魅力を取り戻し、さらにそこから住みよさにつなげていくためにも、情報アクセスの利便性を徹底的に高め、大都市圏と同じくらい情報伝達が早い地域にしていきたい。

　例えばインターネットを中心としたメディア環境を、大都市圏に負けないくらいまでに整備する。そうすれば、いつもはこの街に住んで情報を集め、用事があるときだけは大都市圏に行くというスタイルを選んでもらえるだろう。

　また、自治体からのサービスや情報提供もそのネットワークを活かして積極的に広めていく。何か困ったときにすぐにネットワークを活用して解決できる街を目指すのだ。

　私は高校時代に、社会人向けの情報処理に関する資格を取得した。その知識や技術を活かしてさまざまなアイデアを提供したり、実際のプロジェクトに携わっていきたい。そして、住民から「ここは住みやすいね」といってもらえるよう、誠心誠意取り組んでいきたい。

（国家一般〈高卒〉レベル　45分・600字）

※赤字の部分がネタの転用になります。同じネタがどのように転用されているか確認しましょう。

転用例4-2　提案

魅力あるふるさとづくり

いま、われわれに必要な魅力あるふるさととは一体どのようなものだろうか。それは、現在の魅力を残しつつ、仕事のための情報に簡単にアクセスできる情報アクセスの容易な街である。

この地はいわゆる地方都市である。美しい自然も残り、緑豊かなところとして近隣でも有名だ。しかし、東京などの大都市圏に比べるとどうしても先進的な魅力に欠ける。若者の流出も激しい。私の友人の多くも、高校卒業後は東京に出たいと語っていた。

このような中で街の魅力を取り戻し、さらにそこから住みよさにつなげていくためにも、情報アクセスの利便性を徹底的に高め、大都市圏と同じくらい情報伝達が早い地域にしていきたい。

例えばインターネットを中心としたメディア環境を、大都市圏に負けないくらいまでに整備する。そうすれば、いつもはこの街に住んで情報を集め、用事があるときだけは大都市圏に行くというスタイルを選んでもらえるだろう。

また、自治体からのサービスや情報提供もそのネットワークを活かして積極的に広めていく。何か困ったときにすぐにネットワークを活用して解決できる街を目指すのだ。

私は高校時代に、社会人向けの情報処理に関する資格を取得した。その知識や技術を活かしてさまざまなアイデアを提供したり、実際のプロジェクトに携わっていきたい。そして、住民から「ここは魅力的な街だね」といってもらえるよう、誠心誠意取り組んでいきたいと思う。

（地方初級レベル　時間・字数不明）

転用例4-3 提案

あなたが本県の知事になったと想定し、本県がより魅力的な県となるためにはどうしたらよいか、あなたの考えを述べなさい

私はこの県を、「情報アクセスの容易な県」にしたい。

この地はいわゆる地方都市であり、東京などの大都市圏に比べるとどうしても先進的な魅力に欠ける。若者の流出も激しく、高齢化・過疎化が進みつつある。

このような中で社会に魅力を取り戻し、さらにそこから住みよさにつなげていくためには、情報アクセスの利便性を徹底的に高め、大都市圏と同じくらい情報伝達が早い地域にすることが必要である。

そこで、例えばインターネット環境を大都市圏に負けないくらい整備し、情報へのアクセスを容易にする。特に無料のＷｉ-Ｆｉ環境を充実させるなどして、大都市圏に遜色のないメディア環境を整備したい。そうすれば、どこにいても情報に触れることができ、人々の好奇心を駆り立てることができる。

また、自治体からのサービスや情報提供もそのネットワークを活かして積極的に広めていきたい。何か困ったときにすぐにネットワークを活用して解決できる県を目指すのだ。

このような環境を整備すれば、これまで大都市圏でしか活動し得なかった産業を誘致することもできる。例えば、情報集約型の産業は、ＩＴのインフラが整っていなければもともと働きようがないくらい、ＩＴに頼っている。そこで本県にＩＴのインフラが整備されていれば、そういった企業を誘致しやすくなる。あわせて交通機関などの整備も必要であるが、ＩＴのインフラは交通機関の整備よりも費用がかからないだろう。また、交通機関は現状のままでもある程度対応できる。産業の誘致に成功すれば、それが税収の増加や若者の雇用にもつながり、県全体の活性化につながるであろう。

何か一つでも優れたところがあれば、全国の中で目立つ自治体となれる。大都市圏に負けない特徴作りを通じて、「競争力のある県」になることを目指したい。

（地方上級レベル　60分・８００字）

※赤字の部分がネタの転用になります。
同じネタがどのように転用されているか確認しましょう。

困ったときは「教育ネタ」で
～転用例5

やっぱりつかえる「教育ネタ」！

転用例5の三課題も、地方初級、地方上級、国家一般〈大卒〉とすべて試験の種類が異なる問題です。

また「キャリアプラン教育」をキーワードに「作文基本」型、「論文基本」型、高度な「設問応答型」とそれぞれ答案作成のタイプまで異なる課題に対応しています。

これらの課題に共通してつかわれている「キャリアプラン教育」という「提案」は、転用例3の解説で指摘した、転用しやすい「教育ネタ」の一例です。働くことに関する課題だけでなく、福祉関係の問題や、男女共同参画社会の問題などにも応用が利きます。ほかにどんな領域で転用できるか考えてみてください。

これだけは押さえよう！

《労働問題》

不況下の日本では労働問題が悪化している。失業率は高位のまま推移し、再就職もなかなか進まない。高卒者の求人は激減し、失業者と企業の求人とがかみ合わない、いわゆる「雇用のミスマッチ」も起きている。企業、特にサービス業では人件費抑制のために正社員からパート・アルバイトに雇用の中心を変化させている。これら非正規社員の労働環境が大きな問題となっている。また、正社員もサービス残業を強いられることが多く、過労死の問題は依然として大きい。政府は再就職支援のための技能習得などのセーフティネットを整備しているが、再就職率の好転にはまだつながっていない。失業者の増加は地域の活力を削ぎ、地域の衰退をさらに進めかねない。

転用例５-１

社会人になるにあたり「働く」ことについてどう思いますか

「働く」とは、人のためになにか価値を提供することである。そしてその対価として金銭を受け取り、我々は生活をしている。

高校生の頃にレストランで接客のアルバイトを始めた理由は、基本的に自分が買いたいものを買うためであった。アルバイトをして貯金をし、欲しいものを買ったときはとても嬉しかった。当時は人のために働くという意識はまったくなかった。

ある時、学校でキャリアプランに関する授業があった。キャリアプランナーの方が、働くことにについて講演して下さったのだ。その時に「働くことの喜びはお金をもらうことだけではありません。どんな仕事も誰かの役に立っていて、それに気がつけると働く喜びは何倍にもなります」とおっしゃっていたのが印象に残った。

その日以来、私は、アルバイトの時に、自分がどのようなことで人の役に立っているか考えるようになった。すると自分が提供しているのは料理だけでなく、料理を囲んだ楽しい時間であることに気づくことができたのだ。それに気づいたとたん、アルバイトがさらに楽しくなったのを覚えている。

今、私は公務員としてこの町の人のために働くことがとても楽しみだ。自分に何ができるか、そして自分で何をしたいかを毎日のように考えている。働くことは大変だが、自分が何を提供できるか考えながらがんばりたい。そして●●町の発展に貢献したいと思う。

（地方初級レベル　60分・８００字）

※赤字の部分がネタの転用になります。
同じネタがどのように転用されているか確認しましょう。

転用例5-2

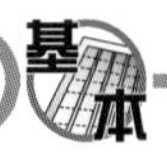

終身雇用制度はなくなりつつあり、雇用形態は変化してきている。これからの働き方についてあなたの考えを述べよ

時代の変化が激しくなり、働く人に要求されるようになった知識・技術もつぎつぎと新しいものが要求されるようになっている。その結果、かつて日本企業の競争力の源ともいわれた終身雇用制は時代に合わなくなり、最初に就職した会社で最後まで勤め上げることは困難となっている。また、同じ職種、同じ業界に居続けられる保障もなく、まったく新しい知識・技術を身につけながら転職を繰り返すことを要求される人も増えている。このような状況に不安を感じる人も多いだろう。

では我々はどうしたらよいか。

このような時代だからこそ、今後は若いうちからのキャリアプランに関する教育が重要である。現在学校などで行われているキャリアプランに関する教育をさらに充実させ、早いうちから仕事とは何か、どのような仕事に就き、どのように生きるのが自分にとっての最善なのかを、考えさせるべきだ。

私の出身大学ではキャリアプランに関する授業があった。ある時、キャリアプランナーによる働くことに関する講演があった。その時に聞いた「働くことの喜びはお金をもらうことだけではありません。どんな仕事も誰かの役に立っていて、それに気がつけると働く喜びは何倍にもなります」という講師の言葉が印象に残っている。

そして、これからの働き方に求められるのは、一生のうちで何回か働くステージを変えながら、誰かの役に立っていることを実感できるように働くことであろう。

最初に就職した会社、業種に依存することなく、つねに自分の知識・技術を磨きながらいつでも転職できるように備えておくこと。仮に最初に就職した会社・業界にいられたとしても、定年後の生き方を見据えて準備を進めるべきである。

また、自分の仕事が誰の役に立っているのかを意識しながら仕事をすることも大事なことである。私は学生時代、レストランでの接客のアルバイトの時に、自分が提供しているのは料理だけでなく、料理を囲んだ楽しい時間であることに気づくことができた。そしてそれに気づいたとたん、アルバイトがさらに楽しくなったのを覚えている。

時代の変化で終身雇用制が崩壊し、働き方にも大きな変化の波が押し寄せている。我々は早期のキャリアプラン教育をふまえて、自身にとって最善の働き方をつねに考えながら生きていくべきであろう。

（地方上級レベル　90分・1000字）

転用例5-3

「図版から読み取って論ぜよ」

「あなたは、ふだんの生活の中で、生きがいや張り合いといえるようなものを持っていますか。持っているとすれば、それは仕事ですか、それとも仕事以外のことですか」というアンケートに対して以下の図のように回答がまとめられている。

若年層になるほど仕事を生きがいとするいとする人の割合が低くなっているのはなぜか。考えられる理由を三つ以上挙げて、それぞれ具体的に論じなさい。

0%　20%　40%　60%　80%　100%

50～59歳
40～49歳
30～39歳
20～29歳

仕事
どちらかといえば仕事
仕事以外
どちらともいえない
生きがいや張り合いというものを持っていない
わからない

若年層になるほど仕事を生きがいとする人の割合が低くなっている理由として、以下の三点が考えられる。一つめは、日本型雇用習慣が崩れ、終身雇用が保障されない社会になっていること。二つめは、バブルとその後の不景気の時代を経て、人々の価値観が多様化したこと。三つめは、仕事そのものの定義がゆらいでいることだ。

時代の変化が激しくなり、働く人に要求される知識・技術もつぎつぎと新しいものが要求されるようになっている。その結果、かつて日本企業の競争力の源ともいわれた終身雇用制は時代に合わなくなり、最初に就職した会社で最後まで勤め上げることは困難となっている。また、同じ職種、同じ業界に居続けられる保障もなく、まったく新しい知識・技術を身につけながら転職を繰り返すことを要求されることも増えている。このような何の保障もない仕事に強い生きがいを持てる人はそれほど多くないだろう。

また日本人は、バブル経済とその後の「失われた二〇年」を経て、働くことに対する共通の価値観を失った。バブルとその崩壊を経験して、金銭的に豊かなことの光と影を知り、その後の「失われた二〇年」で、仕事を通じた自己実現ややりがいに対して、絶望する者と価値をあらためて見いだす者が生まれた。ある者は「働かずに金を得ること」を最上の価値観とし、またある者は「働くことは金を得る手段にすぎない」と割り切ろうとし、またある者は「働くことと趣味の間に境界線を引くのはナンセンス」と考えるようになった。

このように価値観が分裂した状態では、「仕事が生きがい」という言葉に対してさまざまな反応がでるのは不思議ではないだろう。

そして、右記2つの結果として、今、若者の考える「仕事」そのものの概念も曖昧になっている。

旧来型の一流大学から一流企業に入社してなるべく同じ会社で勤め上げようとする若者もいれば、自分の知識・能力をもとに起業したり、フリーランスで働こうとする者もいる。いわゆる金のために働くことを拒否し、NPOや各種ボランティア団体で人とのつながりの中で自身が働くことの意味を追究しようとする者もいる。

このような若者に「仕事とは?」と問えば、じつに多様な返事が返ってくるだろう。旧来の「仕事」の定義とはまったく異なる定義が返ってくるにちがいない。

そして、このような時代だからこそ、今後は若いうちからのキャリアプランに関する教育が重要となるだろう。現在学校などで行われているキャリアプランに関する教育をさらに充実させ、早いうちから仕事とは何か、どのような仕事に就き、どのように生きるのが自分にとっての最善なのかを考えさせるべきである。そして、時代の変化に柔軟に対応して、自分の人生を仕事の面で切り拓いていく強さを身につけさせるべきである。

（国家一般〈大卒〉レベル　時間不明・無制限）

※赤字の部分がネタの転用になります。
同じネタがどのように転用されているか確認しましょう。

No.	試験の種類	時間	字数上限	問題	推奨タイプ	クイック添削
189	国家一般(大卒)	60	制限なし	我が国の生産年齢人口は1990年代をピークに減少を続けており、今後も減少が続くと推計されている。この生産年齢人口の減少に伴う生産力の低下によって、我が国の社会経済に大きな影響を与えることが懸念されている。この状況に関して、以下の問いに答えなさい。(1)生産年齢人口の減少による生産力低下に影響されることなく、中長期的に経済成長を実現していくために解決すべきと考える課題を、以下の図①、②を参考にしながら、二つ述べなさい。(2)(1)で挙げた二つの課題を解決するためには、それぞれどのような取組が必要となるか。あなたの考えを具体的に述べなさい。	基本 図表 設問	Q

図① 我が国の年齢階級別労働力人口比率(2016年)

(%)
100.0 / 90.0 / 80.0 / 70.0 / 60.0 / 50.0 / 40.0 / 30.0 / 20.0 / 10.0

15〜19歳 / 20〜24歳 / 25〜29歳 / 30〜34歳 / 35〜39歳 / 40〜44歳 / 45〜49歳 / 50〜54歳 / 55〜59歳 / 60〜64歳 / 65歳以上

男性 / 女性

(総務省「労働力調査」に基づき作成)

図② OECD諸国における実質労働生産性の水準(2005年〜2013年までの平均値)

(ドル)
70.0 / 60.0 / 50.0 / 40.0 / 30.0 / 20.0 / 10.0 / 0.0

日本 / カナダ / 英国 / イタリア / オーストラリア / スウェーデン / 米国 / ドイツ / フランス

(注)労働生産性は,マンアワーベースで算出したもの。

(平成28年版労働経済白書に基づき作成)

「説明中心」

「提案中心」

「設問応答」

「図表つき」

「抽象問題」

No.	試験の種類	時間	字数上限	問題	推奨タイプ	クイック添削
187	国家一般〈大卒〉	60	制限なし	平成26年(2014年)度に行われた全国の20歳以上の男女を対象とした意識調査によれば、健康のための食生活に関する意識や、健康や栄養に配慮した食生活の実践などの点で、20歳代～30歳代を中心とした若い世代では、40歳以上の世代よりも課題があるとされている。国民が健全な心身を培い、豊かな人間性を育むために、食育は極めて重要である。食育は、生きる上の基本であって、知育、徳育、体育の基礎となるべきものと位置付けられるとともに、様々な経験を通じて、「食」に関する知識と「食」を選択する力を習得し、健全な食生活を実践することができる人間を育てるものとして、その推進が求められている。このような状況に関して、以下の問いに答えなさい。(1)20歳代～30歳代を中心とした若い世代の現在の食生活について、具体的にどのような問題点や課題があると考えられるか。あなたの考えを述べなさい。(2)若い世代が食育に興味や関心を持つようになるための施策について、あなたの考えを述べなさい。	基本 設問	Q
188	国家一般〈大卒〉	60	制限なし	わが国ではこれまで「大量生産・大量消費」を目的とした経済活動を行ってきた。しかし、近年はインターネットが急速に普及し、電子メールや携帯電話などの新しい通信手段も現れたこともあり、「情報」を創造し、流通させることに価値がおかれるようになった。いわゆる「高度情報通信社会」である。我々は、このような社会を生きるために、いわゆる「情報リテラシー」を身につける必要があるといわれている。以上をふまえ、次の二つの問いに答えなさい。(1)「高度情報通信社会」に生活するため、私たちにはどのような能力や心構えが必要であろうか。そのような能力や心構えを身につけることによるメリット、あるいはそれを身に付けないことによるデメリットについて具体的に述べなさい。(2)行政機関も高度情報通信社会の一員であり、情報の送り手・受け手の両方の役割を果たすことになる。そこで、行政機関が国民との間で情報の送り手あるいは受け手として活動する際に留意すべき点について具体的に述べなさい。なお、行政機関には、社会全体の情報通信基盤の整備を行う役割もあるが、ここではその点は考えないものとする	基本 設問	

推奨タイプ

「作文基本」

「過去中心」

「未来中心」

「論文基本」

No.	試験の種類	時間	字数上限	問題	推奨タイプ	クイック添削
162	国家一般〈高卒〉	45	600	思い出の旅	過去	
163	国家一般〈高卒〉	45	600	忍耐が必要なとき	基本	Q
164	国家一般〈高卒〉	45	600	本の魅力	基本	
165	国家一般〈高卒〉	45	600	勇気が必要なとき	基本	Q
166	国家一般〈高卒〉	45	600	大人を見て思うこと	基本	
167	国家一般〈高卒〉	45	600	思いやり	基本	Q
168	国家一般〈高卒〉	45	600	後輩に期待すること	基本	
169	国家一般〈高卒〉	45	600	努力したこと	基本	Q
170	国家一般〈高卒〉	45	600	山	基本 抽象	
171	国家一般〈高卒〉	45	600	友人から学んだこと	過去	
172	国家一般〈高卒〉	45	600	余暇の過ごし方	基本	Q
173	国家一般〈高卒〉	45	600	私が感動したあの時	過去	
174	国家一般〈高卒〉	45	600	私とスポーツ	基本	
175	国家一般〈高卒〉	45	600	私の自慢	基本	Q
176	国家一般〈高卒〉	45	600	思い出のプレゼント	未来	Q
177	国家一般〈高卒〉	45	600	最近の流行について思うこと	基本	Q
178	国家一般〈高卒〉	45	600	好きな植物	基本	Q
179	国家一般〈高卒〉	45	600	卒業	基本 抽象	Q
180	国家一般〈高卒〉	45	600	熱中したこと	未来	
181	国家一般〈高卒〉	45	600	学ぶことの大切さ	基本	Q
182	国家一般〈高卒〉	45	600	私と音楽	基本	Q
183	国家一般〈高卒〉	45	600	私と絵画	基本	Q
184	国家一般〈高卒〉	45	600	私と旅	基本	
185	国家一般〈高卒〉	45	600	私の特技	基本	Q
186	国家一般〈大卒〉	60	制限なし	近年の通信手段やハイテク技術の発展は目覚ましい。しかし、その発展がわれわれを取り巻く環境にマイナスの影響をもたらしているとの批判がある。また、高齢者や障害者にとって使いづらいとの指摘もある。ただ、この発展はわれわれの生活水準の向上に寄与し、さらには生活の様式にも大きな影響を与えたことも事実である。このことを踏まえ、技術の発展がわれわれの生活様式に与えた影響について具体的に述べなさい	説明	

No.	試験の種類	時間	字数上限	問題	推奨タイプ	クイック添削
140	地方上級	90	1000	男女雇用機会均等の ① 背景と ② 改善点についての自分の考えを述べよ	基本 設問	
141	地方上級	90	1000	地域間競争と地方公務員	基本	
142	地方上級	75	800	ノーマライゼーションの理念における、課題の克服についてどのような施策を推進すべきか述べよ	提案	Q
143	地方上級	90	1200	県職員になってもっとも取り組んでみたいこと	未来 提案	
144	地方上級	90	1200	近年地球温暖化問題が大きな問題となっている。1997年12月の地球温暖化防止京都会議では、日本の二酸化炭素排出量を６％減らすことになったが、そこで地球温暖化による影響について説明するとともに、個人、企業などが果たすべき役割について述べよ。なお、論述する内容に即した題を必ずつけること	提案 設問	
145	地方上級	60	1200	地方議会において無投票当選が増加している傾向にある。地域における課題解決において、こうした状況がもたらす影響について考察するとともに、それらに対してどのような取り組みが有効と考えられるかについてあなたの考えを述べなさい	提案	
146	地方上級	90	1200	高度情報通信社会における課題と地方公共団体の役割	基本 設問	
147	地方上級	90	1200	日本の科学技術振興の必要性とその方法	提案	
148	地方上級	90	B4･1枚	リゾート開発と環境保全について	基本	
149	地方上級	60	812	国際協調と日本の役割	提案	
150	地方上級	60	1600	子供の貧困対策について	説明	
151	地方上級	60	1600	学校改革が進む中での地域に開かれた学校づくりについて	提案	
152	地方上級	90	制限なし	子供のしつけのあり方	基本	
153	地方上級	60	800	これまで以上に地方分権を進めることは必要であるか。あなた自身の考えを述べなさい	基本 設問	Q
154	地方上級	60	800	外国人労働者が急増しているが、その社会的背景をふまえた上で、行政がどのような対応をすべきか論ぜよ	基本 設問	
155	地方上級	120	1200	わが国の宇宙開発事業における課題と今後の在り方について述べなさい	基本 設問	
156	地方上級	90	B4･2枚	サマータイム制導入について	基本	
157	地方上級	120	1200	公的介護保険制度について	基本	
158	地方上級	120	1200	夫婦別姓について	基本	
159	地方上級	120	1500	NPOについて	基本	
160	地方上級	120	無制限	国家はIT戦略を掲げてIT革命を推進しているが、IT革命を推進するに至った背景を考察し、推進することで及ぼす社会への影響を考察せよ	説明 設問	
161	国家一般〈高卒〉	45	600	「やさしさ」について	基本	Q

No.	試験の種類	時間	字数上限	問題	推奨タイプ	クイック添削
113	地方上級	75	1000	少子化の進展は、我が国の社会経済全体に多大な影響を及ぼす社会的課題となっている。そこで、あなたの考える少子化による課題を挙げたうえで、本県が取り組むべき方策について、あなたの考えを述べなさい	説明 設問	
114	地方上級	75	1200	障害者や高齢者の社会参加において障害をなくそうとする「バリアフリー」に対する関心が高まっている。 ①その背景は何か、②今後どのようにしたらよいか	基本 設問	
115	地方上級	75	1100	高齢化や過疎化の進展が地域社会に及ぼす影響とその対応策について、あなたの考えを述べなさい	説明 設問	Q
116	地方上級	75	1100	地方で独自の課税ができるようになった背景とそれに対してどう考えるか	説明 設問	
117	地方上級	90	920	廃棄物対策について	提案	
118	地方上級	90	1000	ユニバーサル・デザインにもとづいたまちづくりについて	提案	Q
119	地方上級	90	1000	広域交通など交通網の整備と地域活性化との関わりについて考えを述べよ	基本	
120	地方上級	90	900	豊かさとゆとりについてあなたの思うところを述べよ	基本	
121	地方上級	90	1000	国・都道府県・市町村の役割分担について	基本	
122	地方上級	90	1150	ＩＴ革命による功罪	基本 設問	Q
123	地方上級	90	1150	現代の若者像について考えを述べよ	基本	
124	地方上級	90	1150	これからの社会における高齢者の役割	提案	
125	地方上級	90	1150	スポーツの果たす社会的役割について考えを述べよ	基本	
126	地方上級	90	1150	男女共生社会の実現のための課題と対応について考えを述べよ	提案 設問	
127	地方上級	90	1150	東日本大震災の残した教訓について考えを述べよ	基本	
128	地方上級	90	1200	日本人と水	基本 抽象	
129	地方上級	90	1200	「人間関係の希薄化」を説明し、その歴史的・社会的背景を明らかにせよ	説明 設問	
130	地方上級	90	1200	「余暇・自由時間のあり方」に対する考えを述べよ	基本	
131	地方上級	90	1200	バイオテクノロジーと人類の未来について	基本	
132	地方上級	90	1200	マニュアルの氾濫した社会において、独創性（オリジナリティ）とは何か、あなたの考えを述べなさい	基本	
133	地方上級	120	1600	わが国の発展途上国に対する援助のあり方について	提案	
134	地方上級	90	1500	豊かな社会と情報社会	基本	
135	地方上級	90	1500	地方分権と住民	基本	
136	地方上級	90	1500	魅力ある都市と公務員の役割	基本	Q
137	地方上級	80	1500	多様化する住民意識とこれからの公務員	提案	Q
138	地方上級	90	1200	革新と継承（地方行政に求められているもの）	基本 抽象	
139	地方上級	90	1095	喫煙権と禁煙権について	基本	

No.	試験の種類	時間	字数上限	問題	推奨タイプ	クイック添削
94	地方上級	60	800	わが国は現在、低経済成長にあえぐ中、従来の日本型の雇用慣行（終身雇用慣行、年功序列処遇）の見直しを行う企業が多く、実力主義、成果主義の人事政策がより一層推進されるものと考えられる。その中で、日本型雇用慣行が高度経済成長期においては有効であったとされる理由について、また、低経済成長期においては、どのような人事政策を行うべきか、あなたの考えを述べよ	基本 設問	Q
95	地方上級	60	800	科学技術の光と影	基本	
96	地方上級	60	800	情報公開とプライバシーの保護	基本	Q
97	地方上級	60	1200	学生生活で希望職種決定に影響を与えた出来事	過去	
98	地方上級	60	800	労働時間の短縮について、あなたの意見を述べなさい	基本	
99	地方上級	60	B4·1枚	生涯学習の現状と問題点に言及し、生涯学習を推進するに当たっての方法について、あなたの意見を述べなさい	基本 設問	Q
100	地方上級	60	B5·1枚	住み慣れた地域で暮らし続けるために、何が必要で、それに対してどんなことができるか、あなたの考えを述べなさい	提案 設問	
101	地方上級	60	B4·1枚	最近、アメニティ、都市の住みやすさということがよくいわれるが、都市の住みやすさとはどういうことか。また、住みやすくするには、どうしたらよいか、その方策を述べなさい	基本 設問	
102	地方上級	60	B4·1枚	近年、地方において国際文化交流が盛んになっている背景と今後いっそう国際文化交流を発展させるための方策について述べよ	基本 設問	
103	地方上級	60	B5·1枚	青少年の犯罪が多発し、教育・社会環境のあり方が論じられているが、新しい時代を担う子どもに対する教育のあり方について考えを述べよ	基本	
104	地方上級	60	800	「電子自治体」について、あなたは行政にどう活かしていきたいか	提案	
105	地方上級	60	800	出生率低下の原因と国民生活に与える影響について	説明 設問	
106	地方上級	60	1200	組織の活性化について述べなさい	基本	
107	地方上級	60	1200	行政と民間の役割分担について	基本	
108	地方上級	90	制限なし	安心・安全な社会づくり	提案	
109	地方上級	120	1200	循環型社会づくりについて何が必要か、あなたの考えを述べよ	提案	
110	地方上級	90	1000	行政の透明化と説明責任	基本	
111	地方上級	60	1000	循環型社会について	基本	Q
112	地方上級	90	1000	規制緩和が経済に与える影響	説明	

No.	試験の種類	時間	字数上限	問　　題	推奨タイプ	クイック添削
65	地方初級	60	800	私の中の国際化	基本 抽象	
66	地方初級	60	800	最近思い出に残ったこと	過去	
67	地方初級	60	800	「私が望む故郷（ふるさと）の未来について」あなたがデザインする未来の故郷について、現状と課題、あなたのビジョンや具体的な手法等を交えながらわかりやすく記述してください	基本 設問	Q
68	地方初級	60	800	人生でもっとも大切だと思うこと	基本	
69	地方初級	60	800	青春	基本 抽象	
70	地方初級	60	800	私が市長になったら	未来	
71	地方初級	60	800	大切にしたいこと	未来	
72	地方初級	60	800	学生時代に打ち込んだこと	過去	
73	地方初級	60	800	あなたが失敗から学んだこと	過去	
74	地方初級	60	800	忘れられない一言	過去	
75	地方初級	60	800	自分らしさ	基本	
76	地方初級	60	800	忍耐	過去 抽象	Q
77	地方初級	60	800	未来	未来 抽象	
78	地方初級	60	800	決断	基本 抽象	
79	地方初級	60	800	これからのオリンピックについて	基本 基本	
80	地方初級	60	800	希望	基本 抽象	
81	地方上級	90	800	環境共生型社会について	基本	Q
82	地方上級	90	800	災害時等における危機管理	提案	
83	地方上級	90	800	産業の空洞化	基本	
84	地方上級	60	800	これからの公務員像について	基本	
85	地方上級	60	800	地方自治体におけるイベント・ブームについて述べよ	説明	
86	地方上級	70	600	魅力あるふるさとづくりの提言	提案	
87	地方上級	80	1000	企業の経済活動と社会的責任について	基本	
88	地方上級	80	1000	東京一極集中について	基本	
89	地方上級	80	1200	「余暇の活用」が騒がれるようになった社会的背景と、自分の余暇に対する考え方を述べよ	説明 設問	
90	地方上級	80	800	これからの公務員に求められる資質について	基本	Q
91	地方上級	90	800	私の考える国際交流促進策	提案	Q
92	地方上級	90	800	私の職業観	基本	Q
93	地方上級	90	1600	過疎化対策について	提案	Q

No.	試験の種類	時間	字数上限	問題	推奨タイプ	クイック添削
31	地方初級	60	800	日常生活で感じられる社会への迷惑行為と防止策	基本 設問	
32	地方初級	60	800	あなたが魅力を感じる知人・友人	過去	
33	地方初級	60	800	私の自己分析	過去	
34	地方初級	60	800	他人に迷惑をかけなければ何をしてもよいのか	基本 基本	
35	地方初級	60	800	公務員として挑戦してみたいこと	未来	Q
36	地方初級	60	800	時間の大切さ	基本	
37	地方初級	60	800	仕事と余暇	未来	
38	地方初級	60	800	高校生のアルバイト	基本 過去	
39	地方初級	60	800	高校生活で自分が成長したと思う経験と、それを社会人としてどう活かしていくか	基本	
40	地方初級	60	800	個性を活かすこと	基本	
41	地方初級	60	800	人間関係を築く上でもっとも大切だと思うこと	基本	
42	地方初級	60	800	公共の場におけるマナーのあり方について	基本 基本	
43	地方初級	60	800	社会人として大切なこと	基本	
44	地方初級	60	800	自然と人間	基本 基本	Q
45	地方初級	60	800	水と私たちの生活	基本 基本	
46	地方初級	60	800	地球環境と私たちの生活	基本 基本	
47	地方初級	60	800	今後の社会生活で最も重要だと思うこと	基本 基本	
48	地方初級	60	800	私の住んでみたい町	基本	
49	地方初級	60	800	科学技術と私たちの暮らし	基本 基本	
50	地方初級	60	800	「便利な世の中」という言葉で、私が考えること	基本 基本	Q
51	地方初級	60	800	あなたが仕事をする上で大切にしたいマナーを述べよ	未来	
52	地方初級	60	800	出会い	基本 抽象	
53	地方初級	60	800	私を支えているもの	過去	
54	地方初級	60	800	あなたにとっての「他人への思いやり」と「自分への厳しさ」について	過去	Q
55	地方初級	60	800	私の社会貢献	未来	
56	地方初級	60	800	十年後の私	未来	
57	地方初級	60	800	私たちの世代	基本	
58	地方初級	60	800	私が一番やりがいを感じたこと	過去	
59	地方初級	60	800	最近心に残った出来事	過去	Q
60	地方初級	60	800	手紙	基本 抽象	Q
61	地方初級	60	800	日頃、心がけていること	基本	
62	地方初級	60	800	まちの美化推進策	基本 過去	Q
63	地方初級	60	800	高度情報化社会を生きる私の思い	基本 基本	
64	地方初級	60	800	「いま時の若い者は」と聞いてあなたが思うこと	基本	

公務員論文試験過去問出題テーマ

注意事項：①第３日から第６日の「本日のポイント」（　　で表示）の類題も含まれています
②地方中級は地方上級と地方初級の両方を参照してください
③高卒レベルの警察官、郵政職、市職員は国家一般＜高卒＞と地方初級の両方を参照してください

No.	試験の種類	時間	字数上限	問題	推奨タイプ	クイック添削
1	地方初級	60	800	私が誇りにしていること	過去	
2	地方初級	60	800	私の気分転換法	基本	Q
3	地方初級	60	800	私の目指す公務員像	未来	Q
4	地方初級	60	800	自然保護・環境保護の問題とそのあり方	基本・設問	
5	地方初級	60	800	私のふるさとＰＲ	基本	
6	地方初級	60	800	履歴書	過去	Q
7	地方初級	60	800	学校の週５日制について	基本・基本	
8	地方初級	60	800	思い出に残る出来事	過去	
9	地方初級	60	800	私の将来	未来	
10	地方初級	60	800	最近関心を持った出来事	過去	
11	地方初級	60	800	チームワーク	過去	
12	地方初級	60	800	無駄	過去・抽象	Q
13	地方初級	60	800	可能性	基本・抽象	
14	地方初級	60	800	リーダーシップ	過去	Q
15	地方初級	60	800	ゆとりとやさしさ	基本・抽象	
16	地方初級	60	800	ボランティア活動	過去	
17	地方初級	60	800	物の豊かさと心の豊かさ	基本	Q
18	地方初級	60	800	迷惑行為の要因とその対策について	基本・設問	Q
19	地方初級	60	800	私の信条	過去	
20	地方初級	60	800	環境にやさしい生活のあり方	基本・基本	
21	地方初級	60	800	情報化社会の功罪	基本・基本	
22	地方初級	60	800	新聞とテレビ	基本・基本	
23	地方初級	60	800	尊敬する人	過去	
24	地方初級	60	800	ライバル	過去	
25	地方初級	60	800	海外へ行ってやってみたいこと	未来	
26	地方初級	60	800	公務員に必要なこと	未来	Q
27	地方初級	60	800	心に響いた一言	過去	
28	地方初級	60	800	“納得”・“人生”・“仕事”の三語を使って文を作る（ただし、標題には三つの語を使用してはならない）	基本・設問	
29	地方初級	60	800	たからもの	過去・抽象	
30	地方初級	60	800	身近なゴミの減量法	基本	

本書の著者、石井秀明が代表をつとめる
「論文オンライン」からのご案内です。

自宅にいながらにして小論文の書き方を学ぶことができる「論文オンライン」では、さまざまなサービスであなたの論・作文の演習をサポートします。
くわしい情報は、検索サイトで「論文オンライン」と検索するか、こちらのＵＲＬにアクセスしてゲット！

https://www.ronbunonline.com

●『絶対決める！　公務員試験　論文・作文』読者専用サポートサイトも開設中！

☆面接にも使える自己分析用の質問が読める！
☆本書で紹介した以外の公務員試験の過去問題が〈完全版〉で参照できる！

読者専用サポートページはこちら。
https://ronbunonline.com /koumuinsupport/
閲覧にはパスワードの入力が必要です。
パスワード：4thepeople

●『絶対決める！　公務員試験　論文・作文』読者専用“クイック添削”のご案内

☆自分で選んで自分の志望先と同じ傾向の問題に挑戦できる！
☆ＦＡＸ・メールで気軽に答案提出、最短４日で添削結果がお手元に！
☆丁寧な添削が１回3000円＋税のリーズナブルな添削料で！

“クイック添削”の受講手順

ＳＴＥＰ１：巻末資料の「Ｑ」と書かれた課題のうち、どれでも好きな課題に挑戦して、ＦＡＸ・メールいずれかで答案を提出してください（氏名・受験する試験の種類・電話番号、ＦＡＸ番号、メールアドレス（携帯/ＰＣ等）の連絡先を必ず書いてください）。
ＳＴＥＰ２：指定された口座に添削料金を入金してください。添削料は１回3000円＋税です（振り込み手数料はご負担ください）。
ＳＴＥＰ３：入金が確認され次第、４～７営業日以内に①評価コメント②解答例が原則的に答案が提出されたのと同じ方法で返却されます。

論文オンライン
〒371-0017
群馬県前橋市日吉町4-5-8

FAX：050-3145-1931
Eメール：info@ronbunonline.com

著者●石井秀明　（いしい　ひであき）

小論文通信添削講座「論文オンライン」代表。

一般社団法人文章添削士協会代表理事。

1997年よりインターネットを使った小論文の通信添削講座を展開。今までに添削をした答案の本数は30,000本を超える。2021年に一般社団法人文章添削士協会を設立。代表理事として、誰にでもできるわかりやすい添削の仕方の普及に取り組んでいる。

著書に、『実戦添削例から学ぶ　必ず受かる小論文・作文の書き方』『絶対決める! 実戦添削例から学ぶ公務員試験　論文・作文』（以上、新星出版社）『伝わる! 評価される! 小論文の技術　理論編／トレーニング&実践編』（産業能率大学）『小論文の書き方のコツをすべて伝授! 小論文のツボ60 - 作文と小論文の違いから日頃の訓練法まで-』（KDP）など。

●「論文オンライン」Ｗｅｂサイト
https://ronbunonline.com/
●Ｅメールでのご連絡
info@ronbunonline.com

実戦添削例から学ぶ
公務員試験　論文・作文

著者　石井秀明
発行者　富永靖弘
印刷所　株式会社高山

発行所　東京都台東区台東２丁目24　株式会社　新星出版社
〒110-0016　☎03(3831)0743